W9-DCM-164

SCHULZ · GRIESBACH · LUND

Auf deutsch, bitte! 1

MAX HUEBER VERLAG

ERGÄNZUNGSMATERIAL

zum Lehrbuch

Tonbänder zur audio-visuellen Einführung der Lehrbuchtexte : Tonbänder
mit einer Gesamtlaufzeit von 67 Minuten, Geschwindigkeit 9,5 cm/sec
(Hueber-Nr. 5.1110)

Filmstreifen zu den Texten des Lehrbuchs : 18 Farbfilme in Plastikdosen
(9.1110)   oder:

Diapositive zu den Texten des Lehrbuchs : 335 farbige Diapositive in Plastikkästchen
(4.1110)

Sprechübungen : Tonbänder mit einer Gesamtlaufzeit von 197 Minuten,
Geschwindigkeit 9,5 cm/sec (6.1110)

Textheft zu den Sprechübungen : 88 Seiten (7.1110)

Übungsheft : Mit schriftlichen Übungen für den Schüler, 96 Seiten
(3.1110)

Schlüssel zum Übungsheft : 24 Seiten (15.1110)

Lehrerheft : Hinweise zur Methodik, 47 Seiten (2.1110)

Bildkarten : 88 Stück, Format 15 × 18 cm (8.1110)

Glossare : Deutsch-Englisch (12.1110), Deutsch-Französisch (13.1110),
Deutsch-Spanisch (14.1110), Deutsch-Serbokroatisch (24.1110),
Deutsch-Türkisch (25.1110), Deutsch-Griechisch (26.1110),
Deutsch-Italienisch (27.1110), Deutsch-Niederländisch (28.1110),
Deutsch-Polnisch (29.1110)

ISBN 3–19–00.1110–9
5. Auflage 1975
© 1969 Max Hueber Verlag München
Einbandgestaltung und Zeichnungen: Erich Hölle, Otterfing
Satz: Oscar Brandstetter KG, Wiesbaden
Druck: Mandruck, München
Printed in Germany

Vorwort

„Auf deutsch, bitte!" ist ein einsprachiges Unterrichtswerk für den Deutschunterricht in Primar- und Sekundarschulen. Das Werk ist auf einen Grundkurs von 3 Jahren angelegt mit Erweiterungsmöglichkeiten je nach der zur Verfügung stehenden Zeit.

In „Auf deutsch, bitte!" wurde versucht, der Forderung nach der Vermittlung gesprochener Sprache voll gerecht zu werden. Da der Schüler möglichst schnell und sicher zu brauchbaren und ausbaufähigen Kenntnissen in der neuen Sprache gelangen soll, wurde zur Vermittlung der wichtigsten Grundlagen ein völlig neuer Weg eingeschlagen: In den Abschnitten 1–15 wird der Stoff audio-visuell eingeführt. Diese Einführung ist voll in das Unterrichtswerk integriert. Damit ist es gelungen, die Vorteile der audio-visuellen Methode voll zu nutzen, ohne deren Nachteile hinnehmen zu müssen. So ist es möglich, die Schüler über das Hören und Imitieren zum Sprechen zu bringen, ohne daß die Einführung der Grammatik zu kurz kommt.

Die Abschnitte 1–15 des ersten Bandes bestehen jeweils aus 4 Teilen: Teil 1 bringt die audio-visuelle Einführung, Teil 2 die Zusammenstellung der neuen Strukturen und Teil 3 die eingeführte Grammatik in einfa-

chen Paradigmen. In Teil 4 wird jeweils das bis zur betreffenden Lektion bekannte Material zu einem Text, einem Dialog oder einer kleinen Szene ausgebaut, womit dem Lehrer die Möglichkeit geboten wird, die Schüler von Anfang an zum freien Sprechen zu bringen.

In den Abschnitten 16–18 wird die audio-visuelle Einführung ersetzt durch Dialoge, die durch Situationsbilder gestützt sind. Ab Abschnitt 19 werden Grammatik und Wortschatz mit Lesetexten und Dialogen eingeführt.

Neben dem Sprechen soll das Lesen und Schreiben keineswegs zu kurz kommen. Die geschriebene Sprache wird nach einer rein audio-visuellen Durchnahme der ersten 6 Abschnitte eingeführt. Erst dann wird dem Schüler das Buch in die Hand gegeben. Die Einführung von Lesen und Schreiben wird so zu einer Wiederholung des audio-visuell Gelernten. Durch das Lesen und Schreiben von Sätzen, deren Lautbild wohl vertraut ist, wird außerdem erreicht, daß sich die Einwirkung von Lautbild und Strukturbestand der Muttersprache auf die sprachlichen Leistungen der Schüler auf ein Minimum beschränkt.

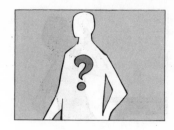

Wer ist das?

Das ist ein Mann.

Was macht der Mann?

Der Mann raucht Pfeife.

Das ist eine Frau.

Was macht die Frau?

Die Frau kauft Saft.

Das ist ein Junge.

Was macht der Junge?

Der Junge spielt Fußball.

Das ist ein Mädchen.   Was macht das Mädchen?   Das Mädchen trinkt Milch.

Das ist ein Bäcker.   Was macht der Bäcker?   Der Bäcker macht Brot.

Das ist ein Kaufmann.   Was macht der Kaufmann?   Der Kaufmann verkauft Kaffee und Tee, Milch und Butter, Öl und Marmelade.

---

1 *Wer ist das?*
2 *der Mann: Was macht der Mann?*
3 *die Pfeife:* Der Mann *raucht Pfeife.*
4 *die Frau; der Saft: Die Frau kauft Saft.*
5 *der Junge; der Fußball: Der Junge spielt Fußball.*

6 *das Mädchen; die Milch: Das Mädchen trinkt Milch.*
7 *der Bäcker; das Brot: Der Bäcker* macht *Brot.*
8 *der Kaufmann: Der Kaufmann verkauft Kaffee und Tee,* Milch und *Butter, Öl* und *Marmelade.*

---

der – das – die

der Mann	*der* Saft	*das* Mädchen	*die* Frau
der Junge	*der* Fußball	*das* Brot	*die* Pfeife
der Bäcker	*der* Kaffee	*das* Öl	*die* Milch
der Kaufmann	*der* Tee		*die* Butter
			die Marmelade

Was macht der Mann?

Der Mann spielt Fußball.

Was macht die Frau?

Die Frau trinkt Milch.

Was macht der Junge?

Der Junge kauft Marmelade.

Was macht das Mädchen?

Das Mädchen trinkt Saft.

Was macht der Bäcker?

Der Bäcker verkauft Brot.

Was macht der Mann, und was macht die Frau?

Der Mann kauft Brot, und die Frau kauft Butter.

Was macht der Bäcker, und was macht der Kaufmann?

Der Bäcker verkauft Brot, und der Kaufmann verkauft Kaffee und Tee, Milch und Butter, Öl und Marmelade.

Die Männer rauchen Pfeife.

Die Frauen kaufen Saft.

2

Die Jungen spielen Fußball.

Die Mädchen trinken Milch.

Die Bäcker machen Brot.

Die Kaufleute verkaufen Kaffee und Tee, Milch und Butter, Öl und Marmelade.

1 *Die Männer rauchen* Pfeife.
2 *Die Frauen kaufen* Saft.
3 *Die Jungen spielen* Fußball.

4 *Die Mädchen trinken* Milch.
5 *Die Bäcker machen* Brot.
6 *Die Kaufleute verkaufen* Kaffee.

---

der, das, die ⟶ die

der Mann	*die* Männer	die Frau	*die* Frauen
der Junge	*die* Jungen	das Mädchen	*die* Mädchen
der Bäcker	*die* Bäcker	der Kaufmann	*die* Kaufleute

der Mann	raucht ...	*die* Männer *rauchen* ...	
der Bäcker	macht ...	*die* Bäcker *machen* ...	
das Mädchen	trinkt ...	*die* Mädchen *trinken* ...	
die Frau	kauft ...	*die* Frauen *kaufen* ...	
der –			
das –	macht (raucht, trinkt *usw.*)	*die – machen* (*rauchen, trinken* usw.)	
die –			

3

Was ist das?

Das ist eine Zigarette.

Wer raucht die Zigarette?

Der Mann raucht die
Zigarette.

Das ist ein Kleid.

Wer kauft das Kleid?

Die Frau kauft das Kleid.

Das ist ein Fenster.

Wer öffnet das Fenster?

Der Bäcker öffnet das Fenster.

Das ist eine Tür.

Wer schließt die Tür?

Der Kaufmann schließt die Tür.

Das ist ein Buch.

Wer bringt das Buch?

Der Junge bringt das Buch.

Das ist ein Haus.   Wer zeichnet das Haus?   Das Mädchen zeichnet
                                                 das Haus.

---

1 *Was* ist das?
2 *die Zigarette:* Der Mann raucht
   die Zigarette.
3 *das Kleid:* Die Frau kauft *das Kleid.*
4 *das Fenster:* Der Bäcker *öffnet das*
   Fenster.

5 *die Tür:* Der Kaufmann *schließt die*
   Tür.
6 *das Buch:* Der Junge *bringt das Buch.*
7 *das Haus:* Das Mädchen *zeichnet das*
   Haus.

---

der, das →	ein	die →	–
die →	eine		

der Mann	ein Mann	die Männer	Männer
der Fußball	ein Fußball	die Fußbälle	Fußbälle
das Kleid	ein Kleid	die Kleider	Kleider
das Haus	ein Haus	die Häuser	Häuser
das Fenster	ein Fenster	die Fenster	Fenster
das Buch	ein Buch	die Bücher	Bücher
die Zigarette	eine Zigarette	die Zigaretten	Zigaretten
die Pfeife	eine Pfeife	die Pfeifen	Pfeifen
die Tür	eine Tür	die Türen	Türen

Das Mädchen zeichnet ein Haus; das Mädchen zeichnet *zwei* Häuser, *drei –, vier –, fünf –,*
sechs –, sieben –, acht –, neun –, zehn –.

Was zeichnet das Mädchen?   Das Mädchen zeichnet ein Haus.
Was zeichnen die Mädchen?   Die Mädchen zeichnen sechs Häuser.

Was bringt der Junge?   Der Junge bringt ein Buch.
Was bringen die Jungen?   Die Jungen bringen acht Bücher.

Was schließt der Kaufmann?   Der Kaufmann schließt die Tür.
Was schließen die Kaufleute?   Die Kaufleute schließen die Türen.

6

Das Mädchen zeichnet viele Häuser.

Wie viele Häuser zeichnet das Mädchen?

Es zählt die Häuser. Es zeichnet sechs Häuser.

Der Junge bringt viele Bücher.

Wie viele Bücher bringt der Junge?

Er zählt die Bücher. Er bringt sechzehn Bücher.

Inge trinkt viel Milch.

Wieviel Milch trinkt Inge?

Sie trinkt zwei Glas Milch.

Die Frau kauft viel Saft.

Wieviel Saft kauft die Frau?

Sie kauft fünf Liter Saft.

Die Kaufleute verkaufen
viel Zucker.

Wieviel Zucker verkaufen
die Kaufleute?

Sie verkaufen zwanzig
Pfund Zucker.

---

1 Das Mädchen *zählt* die Häuser.
2 Der Junge bringt *viele Bücher*.
3 *Wie viele* Bücher bringt der Junge?
4 *das Glas*: Inge trinkt *zwei Glas* Milch.
5 *das Liter*: Die Frau kauft *ein Liter* Milch.

6 Die Kaufleute verkaufen *viel Zucker*.
7 *der Zucker*: *Wieviel Zucker* verkaufen sie?
8 *das Pfund*: Sie verkaufen *zwanzig Pfund Zucker*.

---

der ⟶ er
das ⟶ es
die ⟶ sie

Was verkauft der Kaufmann?
Was zeichnet das Mädchen?
Was kauft die Frau?

Er verkauft Butter und Milch.
Es zeichnet ein Haus.
Sie kauft ein Kleid.

die ⟶ sie

Was verkaufen die Bäcker?
Was zeichnen die Mädchen?
Was kaufen die Frauen?

Sie verkaufen Brot.
Sie zeichnen Häuser.
Sie kaufen Kleider.

1 eins	6 *sechs*	11 elf	16 *sechzehn*
2 zwei	7 *sieben*	12 zwölf	17 *siebzehn*
3 drei	8 acht	13 dreizehn	18 achtzehn
4 vier	9 neun	14 vierzehn	19 neunzehn
5 fünf	10 zehn	15 fünfzehn	20 zwanzig

das Pfund	ein Pfund Kaffee	sechs Pfund Butter	sechzehn Pfund Zucker
das Liter	ein Liter Milch	sechs Liter Öl	sechzehn Liter Saft
das Glas	ein Glas Milch	sechs Glas Milch	sechzehn Glas Marmelade

8

der Mann	die Männer	ein Mann	Männer	viele Männer	acht Männer
das Fenster	die Fenster	ein Fenster	Fenster	viele Fenster	zwei Fenster
die Tür	die Türen	eine Tür	Türen	viele Türen	vier Türen

der Tee	Tee	viel Tee	sechs Pfund Tee
der Zucker	Zucker	viel Zucker	sechzehn Pfund Zucker
die Butter	Butter	viel Butter	sieben Pfund Butter
die Milch	Milch	viel Milch	siebzehn Glas Milch
das Öl	Öl	viel Öl	acht Liter Öl

Wie viele Bücher *sind* das?

Das *ist ein* Buch.
Das *sind fünf* Bücher.

Wieviel Milch *ist* das?

Das *ist ein* Glas Milch.
Das *sind sieben* Glas Milch.

Was ist das?
Was macht das Mädchen?
Was zeichnet es?
Wie viele Häuser zeichnet es?

Das ist ein Mädchen.
Es zeichnet.
Es zeichnet viele Häuser.
Es zeichnet sechs Häuser.

5

„Ich bin Frau Seitz.

Ich gehe zum Bäcker

und kaufe Brot und Brötchen."

„Ich heiße Faber, und ich bin Bäcker.

Ich verkaufe Brot und Brötchen."

„Guten Morgen, Frau Seitz!" „Guten Morgen, Herr Faber!"

„Was möchten Sie,
bitte?"

„Ich möchte ein Brot und
fünf Brötchen."

„Bitte sehr, Frau Seitz,
ein Brot und fünf
Brötchen!"

„Wieviel macht das?"

„Das macht eine Mark
dreißig."

„Danke!"

„Auf Wiedersehen!"

„Auf Wiedersehen,
Frau Seitz!"

Frau Seitz geht nach
Hause.

---

1 die Frau: *Ich bin Frau Seitz.*
2 *das Brötchen:* Ich kaufe fünf *Brötchen.*
3 *Ich gehe zum Bäcker* und *kaufe* Brot
   und Brötchen.
4 *Ich heiße* Faber.
5 *der Morgen: Guten Morgen!*
6 *der Herr:* Guten Morgen, *Herr Faber!*
7 *Was möchten Sie, bitte?*

8 *Ich möchte* ein Brot und fünf
   Brötchen.
9 *Bitte sehr,* Frau Seitz!
10 *Wieviel macht das?*
11 *die Mark; der Pfennig:*
   Das macht eine Mark dreißig.
12 *Danke! Auf Wiedersehen!*
13 Frau Seitz *geht nach Hause.*

Ich kaufe Brötchen.

Was zeichnet der Junge?	*Er* zeichne*t*	Häuser.
Was kauft die Frau?	*Sie* kauf*t*	Brot.
Was trinkt das Mädchen?	*Es* trink*t*	Saft.
Was machen die Männer?	*Sie* rauche*n*	Pfeife.
Was machen die Frauen?	*Sie* kaufe*n*	Brötchen.
Was machen die Mädchen?	*Sie* spiele*n*	Ball.
Was mach*en Sie,* Herr Faber?	*Ich* mache	Brot.

Was möcht*en Sie,* Frau Seitz?   *Ich* möcht*e*   Milch.

wohin?   zum

Wohin geht Frau Seitz?	Sie geht zum Bäcker.
Wohin geht Herr Seitz?	Er geht zum Kaufmann.
Wohin geht Inge?	Sie geht zum Fenster.

die Mark – der Pfennig

die Mark: eine Mark, zwei Mark, zehn Mark, zwanzig Mark.
der Pfennig: ein Pfennig, zwei Pfennig, sechzehn Pfennig.

20	30	40	50	60	70	80	90	100
zwanzig	dreißig	vierzig	fünfzig	sechzig	siebzig	achtzig	neunzig	hundert

DM 1,20 = eine Mark zwanzig   DM 2,05 = zwei Mark fünf
DM 12,40 = zwölf Mark vierzig   DM 0,90 = neunzig Pfennig

Wieviel macht DM 1,20 und DM 2,80?   DM 1,20 und DM 2,80 macht DM 4,00.
Wieviel macht DM 2,80 und DM 0,50?   DM 2,80 und DM 0,50 macht DM 3,30.

Sind Sie Frau Seitz?	Ja, ich bin Frau Seitz.
Ist sie Frau Seitz?	Ja, sie ist Frau Seitz.
Was macht Peter?	Er spielt Fußball.
Was macht Hans?	Er spielt *auch* Fußball.
Wie heißt der Junge?	Der Junge heißt Fritz.
Wie heißen die Jungen?	Die Jungen heißen Fritz und Paul.
Wie heißt du?	Ich heiße . . .
Herr Lehrer, wie heißen Sie?	Der Lehrer: Ich heiße. . .
Fräulein, wie heißen Sie?	Das Fräulein: Ich heiße. . .
Was *sagt* Frau Seitz?	Sie sagt: Guten Morgen, Herr Faber!

6

Frau Seitz geht in die
Küche

und macht das Frühstück.

Sie kocht Kaffee

und bringt das Frühstück
ins Zimmer.

„Karl! Kinder! Das
Frühstück ist fertig."

Herr Seitz und die Kinder
kommen zum Frühstück.

„Guten Morgen, Mutti!
Guten Morgen, Vati!"

Der Vater schneidet Brot.

Die Mutter macht die
Brote.

„Möchtest du Marmelade
oder Honig, Inge?"

„Ich möchte ein Brot
mit Honig, Mutti."

„Wann kommt ihr nach
Hause, Heinz?"

„Inge kommt um 12.

Ich komme um ein Uhr nach Hause."

„Gut, das Essen ist um eins fertig.

Wann gehst du ins Büro, Karl?"

„Ich gehe um 9 Uhr ins Büro."

„Wir gehen jetzt in die Schule. Auf Wiedersehen, Mutti! Auf Wiedersehen, Vati!"

---

1 *die Küche:* Frau Seitz geht *in die Küche.*
2 *das Frühstück:* Sie macht *das Frühstück.*
3 Sie *kocht* Kaffee.
4 *das Zimmer:* Sie bringt das Frühstück *ins Zimmer.*
5 *Karl! Kinder!*
6 Das Frühstück ist *fertig.*
7 *das Kind: Die Kinder kommen zum Frühstück.*
8 Guten Morgen, *Mutti!* Guten Morgen, *Vati!*

9 *der Vater; das Brot: Der Vater schneidet Brot.*
10 *die Mutter: Die Mutter macht die Brote.*
11 Möchtest du Marmelade *oder Honig?*
12 Ich möchte *ein Brot mit* Honig.
13 *Wann* kommt *ihr* nach Hause?
14 Sie kommt *um zwölf.* Ich komme *um ein Uhr.*
15 *das Essen: Gut, das Essen ist um eins* fertig.
16 *das Büro:* Wann gehst du *ins Büro?*
17 *die Schule:* Wir gehen *jetzt in die Schule.*

---

ich	du	Sie	er – es – sie
↓	↓	↓	↓
wir	ihr	Sie	sie

Gehen Sie in die Küche, Frau Seitz? Ja, ich gehe in die Küche.
Gehst du nach Hause, Heinz? Ja, ich gehe nach Hause.
Geht ihr ins Zimmer, Kinder? Ja, wir gehen ins Zimmer.

Geht das Kind in die Schule?	Ja, es geht in die Schule.
Geht Frau Seitz in die Küche?	Ja, sie geht in die Küche.
Geht Heinz nach Hause?	Ja, er geht nach Hause.
Gehen die Kinder ins Zimmer?	Ja, sie gehen ins Zimmer.

ich geh*e*...	er geh*t*...	wir geh*en*...
	es geh*t*...	Sie geh*en*...
	sie geh*t*...	
du geh*st*...	ihr geh*t*...	sie geh*en*...

| Der Kaufmann *fragt:* | Was möchten Sie, bitte, Frau Seitz? |
| Frau Seitz *antwortet:* | Ich möchte ein Pfund Zucker. |

| Sie sind Kaufmann? | Ja, ich bin Kaufmann. Ich heiße Hahn. |
| Was verkaufen Sie? | Ich verkaufe Kaffee und Tee, Reis und Mehl, Milch und Butter, Wein, Öl, Marmelade, Honig, Zigaretten, Zigarren, Zucker, Limonade, Bier, Kartoffeln, Margarine, Schokolade u.s.w. |

7

Frau Seitz bringt das Geschirr in die Küche.

Sie macht Wasser heiß

und legt das Geschirr und das Besteck ins Wasser.

Sie spült die Teller, die Tassen, die Untertassen,

die Kanne, die Messer, die Gabeln und die Löffel.

„Es ist neun Uhr. Ich gehe jetzt ins Büro.

Ich bin heute abend zurück!"

„Kommst du nicht zum Mittagessen?"

„Nein, ich komme nicht zum Mittagessen."

„Bist du um sieben Uhr hier?"

„Sicher! Ich komme schon um halb sieben!"

„Gut, dann sind wir alle hier zum Abendessen."

Herr und Frau Seitz gehen in den Flur.

Herr Seitz zieht den Mantel an,

setzt den Hut auf und öffnet die Tür.

„Wie schade, Karl, es regnet!"

„Das macht nichts! Ich habe ja einen Regenschirm!

Hast du genug Geld?"

Frau Seitz hat nicht genug
Geld.

„Hier hast du 20 Mark!
Reicht das?"

„Ja, danke, es reicht! –
Auf Wiedersehen, Karl!"

„Auf Wiedersehen,
Liese!"

„Halt, Karl! Die
Mappe?"

„Die brauche ich heute
nicht! –
Auf Wiedersehen!"

---

1 *das Geschirr:* Sie bringt *das Geschirr*
  in die Küche.
2 *das Wasser:* Sie *macht das Wasser heiß.*
3 *das Besteck:* Sie *legt das Geschirr*
  und *das Besteck ins Wasser.*
4 *der Teller; die Tasse; die Untertasse:*
  Sie *spült die Teller* und *die Tassen.*
5 *Es ist neun Uhr.*
6 *der Abend:* Ich *bin heute abend zurück.*
7 *das Mittagessen:* Kommst du *nicht*
  zum Mittagessen?
8 *Nein,* ich komme *nicht.*
9 *Bist du um sieben Uhr hier?*
10 *Sicher!*
11 Ich komme *schon um halb sieben!*
12 *das Abendessen: Dann sind wir alle*
  hier *zum Abendessen.*
13 *der Flur:* Sie gehen *in den Flur.*
14 *der Mantel:* Er *zieht den Mantel an.*

15 *der Hut:* Er *setzt den Hut auf.*
16 *Wie schade, Karl, es regnet!*
17 *Das macht nichts!*
18 *der Regenschirm: Ich habe ja einen*
  Regenschirm!
19 *das Geld:* Hast *du genug Geld?*
20 Sie *hat* nicht genug Geld.
21 *Reicht das?*
22 *Halt, Karl!*
23 *die Mappe: Die brauche ich heute* nicht!

Das Geschirr: der Teller, die Tasse
         (die Unter*tasse*),
         die Kanne (die Kaffee*kanne,*
         Milchkanne, Teekanne).

Das Besteck: das Messer, die Gabel,
         der Löffel (der Tee*löffel,*
         Kaffeelöffel, Eßlöffel).

---

der / ein ⟶ *den / einen*

Hier ist der Löffel!   Ich bringe den Löffel in die Küche.
Hier ist ein Regenschirm!   Ich habe schon einen Regenschirm!

das / ein

Hier ist das Besteck!   Du bringst das Besteck ins Zimmer.
Hier ist ein Brot!   Wir kaufen ein Brot.

die / eine

Hier ist die Tasse!   Er bringt die Tasse in die Küche.
Hier ist eine Gabel!   Sie legt eine Gabel ins Wasser.

die / –

Hier sind die Bücher!   Er bringt die Bücher in den Flur.
Hier sind Bälle!   Er bringt Bälle ins Zimmer.

bist du	um sieben Uhr hier?	Ja,	ich bin	schon um 6 Uhr zurück.
			er ist	um 6 Uhr hier.
seid ihr	zum Abendessen hier, Kinder?	Ja,	wir sind	alle zum Abendessen hier.
			sie sind	zum Abendessen hier.
sind Sie	auch um 7 Uhr hier, Herr Hahn?	Ja,	ich bin	auch um 7 hier.
			er ist	um 7 hier.

Peter, *hast du* einen Fußball?   Ja, *ich habe* einen Fußball!
Hat Peter einen Fußball?   Ja, *er hat* einen Fußball.

Gehst du heute ins Büro, Karl?   *Nein,* ich gehe *nicht* ins Büro.
Kommt ihr jetzt in den Flur?   Nein, wir kommen nicht in den Flur.
Legt ihr den Löffel ins Wasser?   Nein, wir legen den Löffel nicht ins Wasser.

17

8

Heinz und Inge gehen in die Schule.

Plötzlich fragt Inge den Bruder: „Heinz, wieviel Uhr ist es?"

„Es ist Viertel vor 8, – nein, es ist 13 Minuten vor acht." – „So spät?"

„Dort kommt ein Bus." – „Ist das der 28?" – „Ja!"

Die Kinder laufen schnell zur Haltestelle

und steigen in den Bus.

„Ist hier noch jemand ohne Fahrschein?" – fragt der Schaffner.

„Ja! Zweimal Pestalozzi-schule, bitte."

„Achtzig Pfennig, bitte." – „Hier ist eine Mark."

„Zwanzig Pfennig zurück." – „Danke."

Inge schaut durch das Fenster.

„Schau, Heinz! Ist das nicht Onkel Ludwig?"

„Quatsch! – Doch! Du
hast recht. Das ist Onkel
Ludwig!"

„Und dort rechts
kommen Tante Frieda
und Oma."

Die Großmutter sieht die
Kinder und winkt.

Der Bus fährt sehr schnell.

Er hält bis zur Pestalozzi-
schule nur zweimal.

Das sind die Haltestellen
„Goethestraße" und
„Bahnhofsplatz".

Jetzt ruft der Schaffner:
„Pestalozzischule".

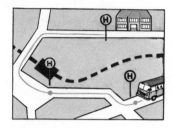

Die Schwester sagt:
„Heinz, es ist zwei
Minuten nach acht!"

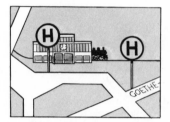

Die Kinder kommen nicht
pünktlich zum Unterricht.

---

1 *der Bruder: Plötzlich fragt* Inge
   den Bruder.
2 *Wieviel Uhr ist es?*
3 *das Viertel: Es ist Viertel vor acht.*
4 *die Minute: Es ist 13 Minuten vor 8.*
5 *So spät?*
6 *der Bus: Dort* kommt *ein Bus.*
7 *die Haltestelle: Sie laufen schnell zur*
   Haltestelle.

8 Sie *steigen in den Bus.*
9 *der Fahrschein:* Ist hier noch *jemand*
   ohne Fahrschein?
10 *der Schaffner: Der Schaffner* fragt.
11 *Zweimal* Pestalozzischule, bitte.
12 Inge *schaut durch* das Fenster.
13 *Schau!*
14 *der Onkel:* Ist das nicht *Onkel*
   Ludwig?

15 *Quatsch! – Doch!* Du hast *recht!*
16 *die Tante; die Großmutter (die Oma):*
    Dort *rechts* kommen *Tante* Frieda
    und *Oma.* (Dort *links* kommen...)
17 Sie *sieht* die Kinder und *winkt.*
18 Der Bus *fährt sehr* schnell.
19 Er *hält bis zur* Schule *nur* zweimal.

20 *die Straße; der Platz:* Goethestraße
    und Bahnhofs*platz.*
21 Jetzt *ruft* der Schaffner: Pestalozzi-
    schule!
22 *die Schwester: Die Schwester sagt:*
    Heinz, es ist 2 Minuten *nach 8.*
23 *der Unterricht:* Sie kommen nicht
    pünktlich zum Unterricht.

Wieviel Uhr ist es?

 Es ist 3 Uhr

 Es ist 5 Minuten nach 3.

 Es ist Viertel nach 5.

 Es ist halb acht.

 Es ist Viertel vor 12.

 Es ist 5 Minuten vor 12.

Wann kommt Heinz?

 Er kommt um 3 Uhr.

 Er kommt um 5 Minuten nach 3.

 Er kommt um Viertel nach 5.

 Er kommt um halb 7.

 Er kommt um Viertel vor 6.

 Er kommt um 5 Minuten vor 8.

Der Schaffner sagt: Der Bus kommt um dreizehn Uhr fünfzehn (13^{15}).

20

Wohin...?

der Bäcker	Frau Seitz geht	zum Bäcker
das Essen	Heinz kommt	zum Abendessen
die Haltestelle	Das Mädchen läuft	zur Haltestelle
der Bus	Die Mutter steigt	in den Bus
das Zimmer	Der Schaffner geht	ins Zimmer
die Schule	Heinz läuft	in die Schule
das Haus	Der Großvater geht	nach Hause

ich fahre	ich laufe	ich halte
du *fähr*st	du *läuf*st	du *hält*st
er *fährt*	er *läuft*	er *hält*

wir fahren	wir laufen	wir halten
ihr fahrt	ihr lauft	ihr halt*et*
sie fahren	sie laufen	sie halten

Sie fahren	Sie laufen	Sie halten

Fährst du zur Schule?	Nein, ich fahre nicht. Ich gehe.
Läuft Heinz nach Hause?	Nein, er läuft nicht. Er fährt.
Hält der Bus *dreimal?*	Nein, er hält nicht dreimal. Er hält nur zweimal.

zwanzig	*vierund*zwanzig	*achtund*zwanzig
*einund*zwanzig	*fünfund*zwanzig	*neunund*zwanzig
*zweiund*zwanzig	*sechsund*zwanzig	dreißig
*dreiund*zwanzig	*siebenund*zwanzig	

Wieviel macht DM 27.00 und DM 21.00?	Das macht DM 48.00
Wieviel macht DM 27.67 und DM 21.27?	Das macht DM 48.94

9

Herr Seitz geht ins Büro.

Die Sekretärin ist schon dort. „Guten Morgen, Fräulein Müller." –

„Ist die Post schon da?"

„Ja, dort liegt sie.

Sie haben heute drei Briefe und eine Postkarte – und die Zeitung, natürlich." – „Ja, danke."

Herr Seitz liest die Briefe und die Postkarte.

Dann zündet er eine Zigarette an und nimmt die Zeitung.

Plötzlich klingelt das Telefon.

Herr Seitz nimmt den Hörer ab: „Ja, hier Seitz."

„Ich bin's, Karl!

Tante Agathe kommt heute nachmittag um fünf Uhr." – „Wer kommt?"

„Tante Agathe! Die Schwester von Großmutter!" – „Ach, die!

Bleibt sie lange?"

„Nur zwei Tage, glaube ich."

„Na gut! Ich bin auch um 5 Uhr zu Hause. Auf Wiedersehen." – „Auf Wiedersehen, Karl."

Herr Seitz legt den Hörer wieder auf.

„Fräulein Müller, kommen Sie bitte herein!

Wir schreiben einen Brief.

Haben Sie Bleistift und Papier?"

Fräulein Müller nimmt einen Bleistift und den Schreibblock.

Herr Seitz diktiert, und die Sekretärin schreibt.

10 Minuten später unterschreibt Herr Seitz den Brief,

und Fräulein Müller bringt ihn sofort zur Post.

Dann geht sie wieder ins Büro zurück.

1 *die Sekretärin: Die Sekretärin* ist
   schon dort.
2 *die Post:* Ist *die Post* schon *da?*
3 Dort *liegt* die Post.
4 *der Brief; die Postkarte; die Zeitung:*
   Sie *haben* heute einen *Brief* und drei
   Postkarten – und *die Zeitung, natürlich.*
5 Herr Seitz *liest* den Brief.
6 *Dann zündet* er eine Zigarette *an* und
   nimmt die Zeitung.
7 *das Telefon: Das Telefon klingelt.*
8 *der (Telefon)hörer:* Er *nimmt den Hörer ab.*
9 *Ich bin's!*
10 *der Nachmittag:* Tante Agathe
    kommt *heute nachmittag.*
11 Die Schwester *von* Großmutter.

12 *Bleibt* sie *lange? (Wie lange* bleibt sie?)
13 *der Tag:* Nur zwei *Tage, glaube* ich.
14 Ich bin um 5 Uhr *zu Hause.*
15 Herr Seitz *legt* den Hörer *wieder auf.*
16 *Kommen Sie bitte herein!*
17 Wir *schreiben* einen Brief.
18 *der Bleistift; das Papier:* Haben Sie
    Bleistift und *Papier?*
19 *der Schreibblock:* Sie nimmt den
    Schreibblock.
20 Er *diktiert* einen Brief.
21 10 Minuten *später unterschreibt* er
    den Brief.
22 Fräulein Müller bringt *ihn sofort
    zur Post.*
23 Dann *geht* sie wieder ins Büro *zurück.*

er (der) ⟶ *ihn* (den)
es (das)
sie (die)
sie (die).

Fragt Herr Seitz den Bäcker?   Ja, er fragt | ihn

Kauft Frau Seitz das Brot?   Ja, sie kauft | es
Liest Inge die Zeitung?   Ja, sie liest | sie

Öffnet die Sekretärin die Briefe?   Ja, sie öffnet | sie

ich habe	Hast du den Bleistift, Heinz?	Ja, ich habe ihn hier.
du *hast*		
er *hat*	Hat Heinz den Bleistift?	Ja, er hat ihn.
wir haben	Habt ihr die Bücher, Kinder?	Ja, wir haben sie hier.
ihr habt		
sie haben	Haben die Kinder die Bücher?	Ja, sie haben sie hier.
Sie haben	Haben Sie den Brief, Herr Seitz?	Ja, ich habe ihn hier.

ich nehme	wir nehmen		ich lese	wir lesen
du *nimmst*	ihr nehmt		du *liest*	ihr lest
er *nimmt*	sie nehmen		er *liest*	sie lesen
	Sie nehmen			Sie lesen

24

Herr Seitz sagt:
- Kommen Sie bitte herein, Fräulein Müller! - Und Fräulein Müller kommt.
- Bringen Sie bitte die Bücher, Herr Faber! - Und Herr Faber bringt die Bücher.

Was machen Sie, Herr Seitz?	Ich	*ziehe*	den Mantel	*an,*
	dann	*setze*	ich den Hut	*auf,*
		zünde	die Zigarette	*an,*
		nehme	den Hörer	*ab,*
	und	*lege*	ihn wieder	*auf.*

wo...?

Wo bist du, Heinz?
- Ich bin hier,
ich *bin zu Hause.*

wohin...?

Wohin gehst du, Inge?
- Ich *gehe nach Hause.*

10

Die Kinder haben Pause
und spielen.

In zehn Minuten beginnt
der Unterricht wieder.

Heinz sieht Fritz und
ruft: „He, Fritz!"

Fritz kommt zu Heinz.

„Was machst du morgen?

Morgen ist Mittwoch,
und wir haben nach-
mittags keine Schule."

„Ich habe morgen keine Zeit.

Wir haben Training.

Am Sonntag ist das Fußballspiel gegen die Schillerschule."

„Wie lange dauert das Training?" – „Es dauert von zwei bis fünf Uhr."

„Hast du ab fünf Uhr Zeit?" – „Klar!"

„Dann gehen wir zusammen ins Kino."

„Das geht nicht – ich habe kein Geld!"

„Macht nichts! Ich habe fünf Mark." – „Gut!

Am Freitag bekomme ich mein Taschengeld,

dann bekommst du dein Geld zurück.

Was für einen Film gibt's denn?"

„Einen Wildwestfilm mit Gary Cooper."

„Oh! Das ist ja prima!

Kommt deine Schwester mit?"

„Nein, sie besucht morgen eine Freundin.

Wo treffe ich dich?"

„Komm doch zum Sportplatz und hol mich ab!"

Dann klingelt es, und die Jungen gehen ins Klassenzimmer.

---

1   *die Pause:* Die Kinder *haben Pause* und *spielen.*
2   *In zehn Minuten beginnt* der Unterricht wieder.
3   Heinz *sieht* Fritz und ruft: „He, *Fritz!*"
4   Fritz kommt *zu Heinz.*
5   *der Mittwoch:* morgen ist *Mittwoch.*
6   Wir *haben nachmittags keine Schule.* (Wir *haben Schule.*)
7   *die Zeit:* Ich *habe keine Zeit.* (Ich habe Zeit.)
8   *das Training:* Wir *haben Training.*
9   *der Sonntag; das Fußballspiel: Am Sonntag* ist *das Fußballspiel gegen* die Schillerschule.
10 *Wie lange dauert* das Training?
11 Es dauert *von zwei bis fünf Uhr.*
12 Hast du *ab fünf Uhr* Zeit?

13 *Klar!*
14 *das Kino:* Dann gehen wir *zusammen ins Kino.*
15 *Das geht nicht!*
16 *der Freitag; das Taschengeld: Am Freitag bekomme* ich *mein Taschengeld.*
17 Du bekommst *dein* Geld zurück.
18 *der Film: Was für einen Film gibt* es *(gibt's)* denn?
19 *Oh! Das ist ja prima!*
20 *die Freundin; (der Freund):* Sie *besucht* eine *Freundin* (einen *Freund*).
21 *Wo treffe* ich *dich?*
22 *der Sportplatz:* Komm *doch zum Sportplatz* und *hol mich ab!*
23 *das Klassenzimmer:* Es klingelt, und die Jungen gehen *ins Klassenzimmer.*

der	→ den
ein	einen
mein	meinen
dein	deinen
kein	keinen

Wo ist mein Bleistift?
Dein Bleistift liegt hier.
Hast du auch einen Bleistift?
Nein, ich habe keinen Bleistift.

das	
ein	
mein	
dein	
kein	

Wo ist mein Buch?
Dein Buch liegt hier.
Bringst du auch ein Buch mit?
Nein, ich bringe kein Buch mit.

die	
eine	
meine	
deine	
keine	

Wo ist meine Mappe?
Deine Mappe liegt hier.
Brauchst du auch eine Mappe?
Nein, ich brauche heute keine Mappe.

die	
meine	
deine	
keine	

Wo sind meine Bücher?
Deine Bücher liegen hier.
Hier sind doch keine Bücher!
Doch! Sie liegen hier.

Ich sehe	Fritz		Ich treffe	Peter
du *siehst*	das	Buch	du *triffst*	den Lehrer
er *sieht*	das	Haus	er *trifft*	Fritz
wir sehen	die	Schule	wir treffen	Frau Seitz
ihr seht	den	Sportplatz	ihr trefft	Heinz
sie sehen	Frau	Seitz	sie treffen	Karl
Sie sehen	die	Kinder	Sie treffen	Inge

ich ⟶ mich   du ⟶ dich

Wo treffe ich dich?
Holt ihr mich ab?
Fragst du mich?

Du triffst mich zu Hause.
Ja, wir holen dich ab.
Ja, ich frage dich!

Wann beginnt der Unterricht? Er beginnt in fünf Minuten.
Wie lange dauert der Unterricht heute? Er dauert von acht Uhr morgens bis
zwei Uhr nachmittags.

„Was machst du heute nachmittag?" „Von zwei bis drei habe ich Unterricht,
und dann gehe ich nach Hause. Um vier
Uhr kommt mein Onkel."

„Du hast also heute nachmittag keine Zeit?" „Doch! Ab fünf Uhr habe ich Zeit."
„Prima, dann hole ich dich um fünf Uhr ab."

Otto sagt zu Heinz: „Hol mich um 7 Uhr ab!" – und Heinz holt ihn um 7 Uhr ab.
Peter ruft: „Komm, Fritz!" – und Fritz kommt zu Peter.

11	Sonntag
12	Montag
13	Dienstag
14	Mittwoch
15	Donnerstag
16	Freitag
17	Sonnabend

Bekommst du dein Taschengeld am Montag?
Nein, ich bekomme es am Dienstag.
Ist das Fußballspiel am Donnerstag?
Nein, das Fußballspiel ist am Sonnabend.

Kurz vor 5 verläßt Herr
Seitz das Büro und geht
zum Parkplatz.

Unterwegs trifft er einen
Freund. „Guten Abend,
Wolfgang!" „Guten
Abend, Karl!

Du, ich möchte noch eine
Tasse Kaffee trinken!
Gehst du mit?"

11

„Das geht leider nicht!"

Heute besucht uns eine
Tante von Liese. Sie
kommt schon um fünf."

„Es ist aber schon fünf
Uhr, Karl!" – „So spät
schon! Na gut, ich bin ja
gleich zu Hause."

29

Herr Seitz schließt seinen Wagen auf und fährt los.

Alle Verkehrsampeln sind grün, und er kommt schnell vorwärts.

„Mutti, da ist ein Taxi, eine Dame steigt aus. Der Fahrer nimmt ihren Koffer und ihre Tasche."

„Ja, das ist sie. Machen wir schnell die Tür auf."

Sie öffnet die Tür: „Herzlich willkommen, Tante!"

„Guten Tag, Liese – und das sind deine Kinder?" „Ja, das ist Heinz, und das ist Inge."

Tante Agathe zieht ihren Mantel aus.

Dann öffnet sie ihre Tasche: „Hier ist ein Paket für euch, Kinder!" „Danke schön, Tante!"

Jetzt kommt auch Herr Seitz. Er begrüßt die Tante.

Sie gehen alle ins Wohnzimmer.

„Ich möchte eure Wohnung sehen!" – „Ja, gern, Tante!

Das ist unser Schlafzimmer." „Ach, wie nett!"

„Und nebenan ist das Badezimmer." – „Ist es nicht zu klein?" – „Nein, es geht!

Hier ist das Zimmer von Heinz und links das Zimmer von Inge.

Und hier ist unsere Küche." „Die ist aber schön!

Habt ihr auch ein Gastzimmer, Karl?"

„Leider nicht, Tante! Wir haben nur drei Schlafzimmer.

Du bekommst das Zimmer von Inge."

---

1 *der Parkplatz : Kurz vor 5 verläßt* Herr Seitz das Büro und geht zum *Parkplatz.*

2 *Unterwegs* trifft er einen Freund.

3 *Guten Abend,* Wolfgang!

4 *Ich möchte noch eine Tasse Kaffee trinken.*

5 Das geht *leider* nicht!

6 Heute besucht *uns* eine Tante.

7 Es ist *aber* schon 5 Uhr.

8 Ich bin ja *gleich* zu Hause.

9 *der Wagen:* Er schließt seinen *Wagen auf* und *fährt los.*

10 *der Verkehr; die Ampel:* Alle *Verkehrsampeln* sind *grün,* und er *kommt* schnell *vorwärts.*

11 *das Taxi; die Dame:* Da ist *ein Taxi,* – *eine Dame steigt aus.*

12 *der Fahrer; der Koffer; die Tasche: Der Fahrer* nimmt *ihren Koffer* und *ihre Tasche.*

13 *Machen* wir schnell die Tür *auf!*

14 *Herzlich willkommen,* Tante!

15 Die Tante *zieht* ihren Mantel *aus.*

16 *das Paket:* Hier ist *ein Paket für euch! – Danke schön!*

17 Herr Seitz *begrüßt* die Tante.

18 Sie gehen alle ins *Wohnzimmer,* (ins *Badezimmer; ins Schlafzimmer; ins Gastzimmer [der Gast]).*

19 *die Wohnung:* Ich möchte *eure Wohnung* sehen! – Ja, *gern,* Tante!

20 *Nebenan* ist *unsere* Küche. – *Ach, wie nett!* Ist sie nicht *zu klein?*

21 Links ist das Zimmer von Inge. – Das ist *aber schön!*

verlassen

ich verlasse das Büro	wir verlassen euch	
du *verläßt* mich	ihr ver*laßt* den Wagen	
er *verläßt* sie	sie verlassen uns	
	Sie verlassen die Schule	

er, es ⟶	sein	seine
sie ⟶	ihr	ihre
wir ⟶	unser	unsere
ihr ⟶	euer	eure

der ⟶	den
ein	einen
sein	seinen
ihr	ihren
unser	unseren
euer	euren

Hat *Heinz* keinen Fußball?
      Doch, *sein* Fußball liegt dort!
Hat *Inge* keinen Bleistift?
      Doch, *ihr* Bleistift liegt dort!
Ist das euer Wagen?
      Nein, unser Wagen hält dort.

das
ein
sein
ihr
unser
euer

Ist das dein Messer, Heinz?
      Ja, das ist mein Messer.
Ist das *ihr* Messer?
      Nein, das ist *sein* Messer.
Ist das euer Haus?
      Nein, unser Haus liegt dort.

die
eine
seine
ihre
unsere
eure

Wann kommt eure Tante?
      Unsere Tante kommt um 5 Uhr.
Hast du die Tasche von Inge?
      Nein, Heinz hat *ihre* Tasche.
Möchtest du unsere Wohnung sehen?
      Ja, ich möchte eure Wohnung sehen.

die
– – –
seine
ihre
unsere
eure

Bringt Heinz nur *seine* Bücher?
      Nein, er bringt auch *ihre* Bücher.
Sind das eure Kinder?
      Ja, das sind unsere Kinder.
Hat das Kind seine Bälle?
      Ja, es hat seine Bälle.

wir	$\longrightarrow$	uns
ihr	$\longrightarrow$	euch

Wer besucht euch heute?   Meine Tante besucht uns.

für wen?

Wer bringt ein Paket?   Der Onkel bringt ein Paket.
Für wen ist es?   Es ist *für mich*.
Nur *für dich*?   Nein, es ist auch *für meinen Bruder*.

Ich *möchte* das Haus *sehen*!

Was möchtest du trinken?   Eine Tasse Kaffee, bitte.
Möchtest du auch die Küche sehen?   Ja, die möchte ich auch sehen!
Möchten Sie uns morgen besuchen?   Ja, gern, danke!
Was möchtet ihr jetzt *tun*?   Wir möchten nach Hause gehen!

Es ist Donnerstag abend.
Herr und Frau Seitz
sitzen bei Tisch.

„Wo bleiben denn die
Kinder? Wir essen um
7 zu Abend, und sie sind
noch nicht gekommen!"

„Heinz ist mit Fritz ins
Kino gegangen."

12

„Wann hat die Vor-
stellung begonnen?" –
„Um fünf."

„Na, dann kommt er
wohl gleich!"

„Ja, das hoffe ich. Es
wird bald dunkel!"

„Haben sie auch Inge mitgenommen?" – „Nein, sie hat den Film schon gestern gesehen.

Sie hat um halb sieben angerufen.

Sie hat bei Bärbel gegessen.

Sie kommt erst um neun nach Hause."

„Hat sie ihre Schularbeiten gemacht?"

„Ja, die sind erledigt.

Schon um eins ist sie in ihr Zimmer gegangen.

Da hat sie mehr als eine Stunde fleißig gearbeitet.

Sie hat einen Aufsatz geschrieben

und mehrere Aufgaben gerechnet." – „Na, gut!"

„Jetzt kommt er!" – „N'Abend!" – „Guten Abend, Heinz!"

„Was gibt's heute, Mutti?"

„Bist du hungrig?" –
„Ja, wie ein Wolf!

Ich habe seit Mittag
nichts bekommen!"

„Habt ihr gar keine
Schokolade gegessen?"

„Nein, wir haben leider
nicht genug Geld gehabt!

Wir haben aber eine
Flasche Cola getrunken."

„Setz dich, Heinz! Wir
sind auch hungrig!"

---

1   *Es ist Donnerstag abend.*
2   *der Tisch:* Sie *sitzen bei Tisch.* (Sie *haben* bei Tisch *gesessen.*)
3   Wo bleiben *denn* die Kinder?
4   Wir *essen* um sieben *zu Abend.* (Sie *haben* um sieben zu Abend *gegessen.*)
5   Sie *kommen* nicht. (Sie *sind noch nicht gekommen.*)
6   Heinz *geht* mit Fritz ins Kino. (Er *ist* ins Kino *gegangen.*)
7   *die Vorstellung:* Wann *beginnt die Vorstellung?* (Wann *hat* die Vorstellung *begonnen?*)
8   Na, dann kommt er *wohl gleich!*
9   Ja, das *hoffe* ich.
10 *Es wird bald dunkel.* (Es *ist* schon dunkel *geworden.*)
11 Sie *nehmen* Inge *mit.* (Sie *haben* Inge *mitgenommen.*)
12 Inge *sieht* heute den Film. (Sie *hat gestern* den Film *gesehen.*)
13 Sie *ruft* jetzt *an.* (Sie *hat* um halb sieben *angerufen.*)
14 Sie hat *bei Bärbel* gegessen.
15 *die Schularbeiten:* Sie *macht die Schularbeiten.* (Sie *hat* die Schularbeiten *gemacht.*)
16 Das ist *erledigt!*
17 *die Stunde:* Sie *arbeitet fleißig mehr als eine Stunde.* (Sie *hat* mehr als eine Stunde fleißig *gearbeitet.*)
18 *der Aufsatz:* Sie *schreibt* einen *Aufsatz.* (Sie *hat* einen Aufsatz *geschrieben.*)
19 *die Aufgabe:* Sie *rechnet mehrere Aufgaben.* (Sie *hat* mehrere Aufgaben *gerechnet.*)

20 *der Wolf:* Bist du *hungrig?* Ja, *wie ein Wolf!*

21 *der Mittag:* Ich *bekomme* nichts. (Ich *habe seit Mittag* nichts *bekommen.*)

22 *die Schokolade:* Er *ißt gar keine Schokolade.* (Er *hat* keine Schokolade *gegessen.*)

23 Wir *haben* nicht genug Geld. (Wir *haben* nicht genug Geld *gehabt.*)

24 *die Flasche:* Er *trinkt* eine *Flasche* Cola. (Er *hat* eine Flasche Cola *getrunken.*)

25 *Setz dich,* Heinz!

---

essen

Ich esse Brot	wir essen Brot
du *ißt* Brot	ihr eßt Brot
er *ißt* Brot	sie essen Brot
	Sie essen Brot

Er *hat* 2 Brötchen *gegessen.*

---

wir nehmen	wir *haben genommen*

wir beginnen	wir *haben begonnen*	wir bekommen	wir *haben bekommen*
wir sitzen	wir *haben gesessen*	wir sehen	wir *haben gesehen*
wir schreiben	wir *haben geschrieben*	wir essen	wir *haben gegessen*
		wir trinken	wir *haben getrunken*

Nehmt ihr Inge *mit?*
Ruft ihr den Lehrer *an?*

Wir *haben* sie schon gestern *mitgenommen.*
Wir *haben* ihn schon gestern *angerufen.*

---

wir machen	wir *haben gemacht*

wir arbeiten	wir *haben gearbeitet*
wir rechnen	wir *haben gerechnet*
wir haben	wir *haben gehabt*

Wir kommen	wir *sind gekommen*
wir gehen	wir *sind gegangen*

Wohin?

Ist Heinz *ins Wohnzimmer* gegangen?
Ist Inge *in die Küche* gegangen?

Nein, er ist *in sein Zimmer* gegangen.
Nein, sie ist *in ihr Zimmer* gegangen.

36

Hat Inge heute *mehr als* eine Stunde gearbeitet?

Ja, sie hat *mehrere* Stunden gearbeitet.

Hat sie *mehr als* 10 Aufgaben gerechnet?

Ja, mehr als 20, glaube ich.

Inge, *wie viele* Aufgaben hast du gerechnet?

25, für morgen habe ich aber nicht so *viele* Aufgaben.

Montag	Dienstag	Mittwoch	Donnerstag	Freitag	Sonnabend (Samstag)	Sonntag
vorvorgestern	*vorgestern*	gestern	**heute**	morgen	*übermorgen*	*überübermorgen*

Es ist spät am Abend.

Heinz und Inge sind noch nicht zu Bett gegangen.

Sie haben alle den ganzen Abend ferngesehen.

13

„Wo hat denn der Film gespielt?" – „In Paris!

Hast du denn nicht den Eiffelturm gesehen?"

„Ich habe heute abend an die Ferien gedacht.

37

Wollen wir auch diesen Sommer nach Amrum fahren?"

„Nein, das wollen wir bestimmt nicht!" – „Was soll denn das heißen?"

„Vati, Franz und seine Eltern sind im Juni nach Spanien geflogen..."

„Ja, und Bärbel und ihre Eltern sind im März in Kopenhagen gewesen."

„Alle meine Kameraden sind schon im Ausland gewesen.

Sie sind in Holland, in Belgien, in Dänemark, in Norwegen gewesen!

Du willst aber immer hier bleiben!"

„Vati, wir möchten auch mal ins Ausland fahren!"

„Hört mal her, Kinder! Wir können nicht nach Kopenhagen oder nach Spanien fahren.

Das ist zu weit, – es wird zu teuer!"

„Ach was, Vati!" – „Nein! So viel Geld haben wir einfach nicht."

„Karl, ich habe heute Vormittag mit Frau Neumeier gesprochen.

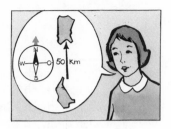

Im Mai sind sie nach Römö in Dänemark gefahren."

„Wo liegt denn Römö? Ist es eine Stadt?" – „Nein, das ist auch eine Insel.

Sie liegt etwa 50 km nördlich von Amrum.

Schau mal hier auf die Karte!

Wir können nach Römö fahren."

„Ja, warum denn nicht? Das ist nicht zu weit, – es wird nicht zu teuer." – „Ja, und Römö liegt im Ausland, Kinder!"

1 Es ist *spät am Abend.*
2 *das Bett:* Sie sind noch nicht *zu Bett* gegangen.
3 Sie *sehen den ganzen Abend fern.* (Sie haben *ferngesehen*). *(Der Fernsehapparat).*
4 *der Turm:* Hast du denn nicht *den* Eiffel*turm* gesehen?
5 *die Ferien:* Ich *denke an die Ferien.* (Ich *habe* an die Ferien *gedacht.*)
6 *der Sommer: Wollen* wir *diesen Sommer nach* Amrum *fahren?*
7 *Was soll denn das heißen?*
8 *die Eltern; der Juni: Die Eltern fliegen im Juni* nach Spanien. (Sie *sind* nach Spanien *geflogen.*)
9 *der März:* Sie *sind im März* in Oslo (Sie *sind* in Oslo *gewesen.*)
10 *der Kamerad; das Ausland:* Ich habe einen Kameraden; er *ist immer im Ausland;* (er *fährt ins Ausland.*)
11 *Hört mal her,* Kinder!
12 Wir *können* nicht nach Spanien *fahren.*
13 Das ist *zu weit,* und es wird *zu teuer.*
14 *Ach was,* Vati!
15 So viel Geld haben wir *einfach* nicht!
16 *der Vormittag:* Er *spricht heute Vormittag* mit Frau Seitz. (Er *hat* mit Frau Seitz *gesprochen.*)
17 *der Mai:* Sie *sind im Mai* nach Römö *gefahren.*
18 *die Stadt; die Insel:* Ist Römö *eine* Stadt *oder eine Insel?*
19 *der Kilometer (= km):* Römö liegt *etwa 50 km nördlich von* Amrum.
20 *die Karte: Schau mal hier auf die Karte!*
21 Wir können nach Römö fahren! – Ja, *warum nicht!*

ich	*will*	nach Römö fahren	ich	*kann*	nicht nach Paris fahren
du	*willst*	nach Römö fahren	du	*kannst*	nicht nach Paris fahren
er	*will*	nach Römö fahren	er	*kann*	nicht nach Paris fahren
wir	wollen	nach Römö fahren	wir	können	nicht nach Paris fahren
ihr	wollt	nach Römö fahren	ihr	könnt	nicht nach Paris fahren
sie	wollen	nach Römö fahren	sie	können	nicht nach Paris fahren
Sie	wollen	nach Römö fahren	Sie	können	nicht nach Paris fahren

sprechen

ich spreche	wir sprechen
du *sprichst*	ihr sprecht
er *spricht*	sie sprechen
	Sie sprechen

Er *hat* mit Inge *gesprochen*

wir fliegen   ### wir *sind geflogen*

wir fahren	wir *sind gefahren*
wir sind	wir *sind gewesen*
wir sehen fern	wir *haben ferngesehen*
wir sprechen	wir *haben gesprochen*
wir denken (an ihn)	wir *haben* (an ihn) *gedacht*

Habt ihr keinen Fernsehapparat?   Doch, wir haben einen Fernsehapparat.
Siehst du gern fern?   Nein, ich habe keine Zeit.
Und deine Eltern, sehen sie fern?   Ja, sie sehen oft fern; gestern *haben sie
sogar* den ganzen Abend *ferngesehen.*

Wann?

Wann fahrt ihr nach Spanien?   Wir fahren *im Juli* nach Spanien.
Wann sind Sie in Norwegen gewesen?   Ich bin *im März* in Oslo gewesen.

im Januar	im April	im Juli	im Oktober
im Februar	im Mai	im August	im November
im März	im Juni	im September	im Dezember

wohin? ⟶   wo? ☒

Wohin fährt er?   Wo ist er?
Er fährt ins Ausland.   *Er ist im Ausland.*

der Herr	⟶	den Herr*n*
der Junge	⟶	den Junge*n*
der Kamerad	⟶	den Kamerad*en*

Wer kommt jetzt?   Jetzt kommt mein Kamerad Günter.
Wen triffst du?   Ich treffe meinen Kamerad*en* Günter.
Wen rufen Sie an?   Ich rufe Herr*n* Schulz an.
Wen holt Erna ab?   Sie holt einen Junge*n* ab.

Wo liegt Römö?

Schau mal auf die Karte. Die Insel liegt etwa 225 km *nördlich von* Bremen, – etwa 250 km *westlich von* Kopenhagen, – etwa 550 km *südlich von* Oslo – und etwa 600 km *östlich von* Newcastle in England.

14

„Vati kommt in zwei Stunden nach Hause. Dann muß er sofort nach Köln fahren."

„Nach Köln! – Können wir nicht mitfahren?"

„Mutti, wir haben morgen keine Schule – und übermorgen ist Sonntag!"

„Ruhig! Wir fahren alle mit. Wir übernachten bei Onkel Dieter.

Jetzt müssen wir aber schnell packen!

Vati hat keine Zeit; er kann nicht auf uns warten!"

„Wo ist mein Koffer?" –
„Er steht doch auf dem
Schrank in deinem Zim-
mer."

„Wie viele Kleider soll
ich mitnehmen, Mutti?"

„Du brauchst doch nicht
viel für zwei Tage, Inge!

Ein Rock, ein paar Blusen
und ein Kleid reichen
wohl,

und du, Heinz, nimmst
eine Hose und zwei
Hemden mit."

„Was brauchen wir
noch?" – „Toilettensa-
chen und Schlafan-
züge!" – „Ja, natürlich!"

„Mutti! – Wo ist meine
Tasche?" – „Das weiß
ich nicht, frag mal
Heinz!"

„Sie liegt wohl in der
Küche – wie gewöhnlich!

Vati ist schon da! Er hat
den Wagen vor die Haus-
tür gefahren."

„Können wir das Gepäck
zum Wagen tragen?"

„Ja, und macht schnell!
Dann packe ich es in den
Kofferraum."

5 Minuten später kommt
Frau Seitz aus dem Haus.

Herr Seitz und die Kinder sitzen schon im Wagen.

„Gut, jetzt können wir losfahren!"

„Halt, Vati! Jetzt habe ich doch meine Tasche vergessen."

„Du vergißt aber auch immer etwas!"

Heinz läuft schnell ins Haus und holt die Tasche.

Dann fährt die Familie Seitz los.

---

1 Vati *muß* nach Köln *fahren.*

2 *Können* wir *mitfahren?* (Er *fährt mit;* er *ist mitgefahren.*)

3 *Übermorgen* ist Sonntag.

4 *Ruhig!*

5 Wir *übernachten* bei Onkel Dieter. (Wir *haben* bei Onkel Dieter *übernachtet.*)

6 Jetzt *müssen* wir aber schnell *packen.*

7 Er *wartet auf mich.* (Er *hat* auf mich *gewartet.*)

8 *der Schrank:* Der Koffer *steht auf dem Schrank* in deinem Zimmer. (Er *hat* auf dem Schrank *gestanden*).

9 Du brauchst doch nicht viel *für zwei Tage.*

10 *der Rock; die Bluse:* Zwei *Röcke* und ein paar *Blusen* reichen wohl.

11 *die Hose; das Hemd:* Du nimmst *eine Hose* und *zwei Hemden* mit.

12 Was brauchen wir *noch?*

13 *der Anzug:* Ihr braucht *Toilettensachen* und *Schlafanzüge.*

14 Das *weiß* ich nicht!

15 Sie *liegt in der Küche – wie gewöhnlich.* (Sie *hat* in der Küche *gelegen*).

16 *die Haustür:* Er *fährt* den Wagen *vor die Haustür.* (Er *hat den Wagen vor die Haustür gefahren.*)

17 *das Gepäck:* Er *trägt das Gepäck* zum Wagen. (Er *hat* es zum Wagen *getragen.*)

18 *Macht schnell, Kinder!*

19 *der Kofferraum:* Er *packt* das Gepäck *in den Kofferraum.*

20 Frau Seitz kommt *aus dem Haus.*

21 Jetzt *können* wir *losfahren.* (Er *fährt los;* er *ist losgefahren*).

22 Du *vergißt* aber auch immer *etwas!* (Sie *hat* ihre Tasche *vergessen.*)

23 *die Familie:* Die Familie Seitz fährt los.

ich	*muß*	packen
du	*mußt*	packen
er	*muß*	packen
wir	müssen	packen
ihr	müßt	packen
sie	müssen	packen
Sie	müssen	packen

das	*weiß*	ich nicht
das	*weißt*	du nicht
das	*weiß*	er nicht
das	wissen	wir nicht
das	wißt	ihr nicht
das	wissen	sie nicht
das	wissen	Sie nicht

Mutti, wann kommt Vati heute zurück?

Das weiß ich nicht, Heinz; Vati hat noch nicht angerufen.

tragen

ich trage den Koffer zu Heinz
du *trägst* den Koffer ins Haus
er *trägt* den Koffer in die Küche

wir tragen den Koffer nach Hause
ihr tragt   den Koffer zum Bahnhof
sie tragen den Koffer in den Bus

Sie tragen den Koffer durch das Zimmer

Die Kinder *haben* das Gepäck zum Wagen *getragen*.

vergessen

ich vergesse meinen Koffer
du *vergißt*   deinen Koffer
er *vergißt*   seinen Koffer
es *vergißt*   seinen Koffer
sie *vergißt* ihren Koffer

wir vergessen unseren Koffer
ihr vergeßt   euren   Koffer
sie vergessen *ihren* Koffer

Sie vergessen *Ihren*   Koffer

Inge *hat* wie gewöhnlich auch heute etwas *vergessen!*

Wartest du auf mich?

Ja, ich warte gern auf dich.

Wartest du auch auf Heinz und Inge?

Nicht auf ihn – er kommt heute nicht! Ich warte nur auf sie.

Kommt das Fräulein bald?

Das weiß ich nicht, ich warte auf es (sie).

Wartet ihr auf uns?

Wir können nur 2 Minuten auf euch warten, dann gehen wir!

Wartet Frau Seitz auf die Kinder?

Ja, sie wartet auf sie.

Heinz, bist du noch da?

Ja, Frau Hahn, ich warte ja auf Sie!

sie stehen	sie *haben gestanden*
sie stehen	sie *haben gestanden*
sie liegen	sie *haben gelegen*
sie tragen	sie *haben getragen*
sie vergessen	sie *haben vergessen*
sie übernachten	sie *haben übernachtet*

Können wir *mitfahren?*	Wir *fahren mit.*	Wir *sind mitgefahren.*
Können wir *losfahren?*	Wir *fahren los.*	Wir *sind losgefahren.*

in →	der Wagen	ich steige in de*n* Wagen in meine*n* Wagen
	das Zimmer	du läufst ins Zimmer in dein Zimmer
	die Küche	Frau Seitz geht in di*e* Küche in ih*r* Küche
in ☒	der Wagen	Herr Seitz sitzt i*m* Wagen in seine*m* Wagen
	das Zimmer	Das Fräulein arbeitet i*m* Zimmer in ihre*m* Zimmer
	die Küche	Wir stehen in de*r* Küche in unsere*r* Küche
aus ⊢→	der Wagen	ihr steigt aus de*m* Wagen aus eure*m* Wagen
	das Zimmer	die Kinder kommen aus de*m* Zimmer aus ihre*m* Zimmer
	die Küche	Kommen Sie aus de*r* Küche, Frau Seitz? aus Ihre*r* Küche, Frau Seitz?

Wie spät ist es?	Fünf vor acht.
Dann muß ich leider gehen, mein Freund wartet auf mich.	Mußt du gehen? Kannst du nicht bleiben?
Nein, das geht leider nicht, er wartet schon! Auf Wiedersehen!	Auf Wiedersehen.

45

15

„Liese, wie ist denn heute das Wetter?"

„Schlecht! Es regnet – und kalt und windig ist es auch."

„Hast du schon den Wetterbericht gehört?"

„Ja, der Regen wird später aufhören.

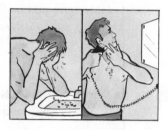

Stehst du jetzt auf, Karl? Das Kaffeewasser kocht schon."

„Ja, ja, ich komme gleich."

Herr Seitz geht ins Badezimmer.

Er wäscht sich und rasiert sich;

dann zieht er sich an.

„Guten Morgen, Inge! Steh jetzt auf und zieh dich an. Das Frühstück ist gleich fertig.

Was, du schläfst noch! Schnell aus dem Bett, Junge!"

„Morgen, Vati! – Ich bin noch so müde."

46

„Hast du schon wieder die ganze Nacht deine Krimis gelesen? Los, aufstehen!"

„Es ist doch Sonntag heute, Vati!" – „Das weiß ich schon.

Wir haben aber heute viel zu tun.

Ich will den Bücherschrank aufräumen, und du sollst mir helfen."

„Sind die Kinder auf?" – „Ja, sie ziehen sich jetzt an; sie kommen gleich."

„Was ist denn mit dir los, Heinz?" – „Vati sagt, ich soll ihm beim Aufräumen helfen."

Nach dem Frühstück gehen Herr Seitz und Heinz ins Arbeitszimmer.

„Vati, eben ruft Bärbel an. Darf ich heute abend mit ihr in den Klub gehen?"

„Nein! Du bist noch zu jung. Du bist doch erst dreizehn Jahre alt."

„Aber Bärbel darf doch auch!"

„Du darfst aber nicht, fertig! Du wirst später noch oft genug in den Klub gehen können."

Herr Seitz ist heute schlechter Laune.

47

1 *das Wetter: Wie* ist denn heute *das Wetter?*

2 *Schlecht!* Es ist *kalt* und *windig.*

3 *der Wetterbericht:* Hast du *den Wetterbericht* gehört?

4 *der Regen: Der Regen* wird später *aufhören.*

5 *Stehst* du jetzt *auf?* (Er *ist* schon *aufgestanden.)*

6 Herr Seitz *wäscht sich, rasiert sich* und *zieht sich an.* (Er *hat* sich *gewaschen,* sich *rasiert* und sich *angezogen.)*

7 Zieh *dich* an!

8 *Was,* du *schläfst* noch! (Du *hast geschlafen.)*

9 Ich bin noch so *müde.*

10 *die Nacht; der Krimi:* Er hat *die* ganze *Nacht Krimis* gelesen.

11 *Los, aufstehen!*

12 Wir haben aber heute viel *zu tun.*

13 *der Bücherschrank:* Ich will *den Bücherschrank aufräumen.* (Er *hat* den Schrank *aufgeräumt.)*

14 Du sollst *mir helfen.*

15 Sind die Kinder *auf?* Ja, *sie* ziehen *sich* jetzt an.

16 Was ist denn *mit dir los?*

17 *das Aufräumen:* Vati sagt, ich soll *ihm beim Aufräumen* helfen.

18 *das Arbeitszimmer: Nach dem Frühstück* geht er ins *Arbeitszimmer.*

19 Vati, *eben* ruft Bärbel an.

20 *der Klub: Darf* ich *mit ihr* in den *Klub* gehen?

21 *das Jahr:* Du bist zu *jung.* Du bist doch erst *13 Jahre* alt.

22 *Du wirst später gehen können.*

23 *die Laune:* Er ist heute *schlechter (guter) Laune.*

---

ich wasche mich

ich	wasche	mich
du	*wäschst*	dich
er	*wäscht*	sich
es	*wäscht*	sich
sie	*wäscht*	sich
wir	waschen	uns
ihr	wascht	euch
sie	waschen	*sich*
Sie	waschen	*sich*

Er *hat* sich *gewaschen*

ich helfe meinem Vater

ich	helfe	meinem Vater
du	*hilfst*	deinem Onkel
er	*hilft*	seinem Kind
es	*hilft*	seinem Bruder
sie	*hilft*	ihrem Großvater
wir	helfen	unsrer Mutter
ihr	helft	eurer Tante
sie	helfen	ihrer Großmutter
Sie	helfen	Ihrem Mann, Frau Seitz

Er *hat* unserem Lehrer *geholfen.*

ich soll ihm helfen

ich	*soll*	ihm helfen	wir	sollen	ihm helfen
du	*sollst*	ihm helfen	ihr	sollt	ihm helfen
er	*soll*	ihm helfen	sie	sollen	ihm helfen
			Sie	sollen	ihm helfen

ich darf nicht gehen

ich *darf* nicht gehen
du *darfst* nicht gehen
er *darf* nicht gehen

Vati, *darf ich* ins Kino gehen?

wir dürfen nicht gehen
ihr dürft nicht gehen
sie dürfen nicht gehen

Sie dürfen nicht gehen

Nein, das *darfst* du *nicht;* du *mußt* zu
Hause bleiben!

Ich werde kommen können

ich werde	morgen *kommen können.*
du *wirst*	später in den Klub *gehen können.*
er *wird*	übermorgen ins Kino gehen.
sie *wird*	bald wieder in die Schule *gehen müssen.*
es *wird*	den Ball kaufen.
wir werden	euch bald besuchen.
ihr werdet	später den Film *sehen können.*
sie werden	oft nach Köln *fahren müssen.*
Sie werden	Ihre Frau gleich *anrufen können,* Herr Maier.

ich	⟶ mir	wir	⟶ uns
du	⟶ dir	ihr	⟶ euch
er	⟶ ihm	sie	⟶ *ihnen*
es	⟶ ihm		
sie	⟶ ihr	Sie	⟶ *Ihnen*

Mit wem bist du ins Kino gegangen?
Mit Bärbel?

Ja, ich bin mit ihr gegangen.

Hast du mit Herrn Schulze gesprochen?

Ja, ich habe schon mit ihm gesprochen.

Hast du mit Heinz und Inge gespielt?

Ja, ich habe mit ihnen gespielt.

Herr Seitz, darf ich heute mit Ihnen zum
Bahnhof fahren?

Ja, gern! Steigen Sie bitte ein, Herr Faber.

16

Heute haben wir den dritten Februar 1969. Es ist Montag nachmittag. Wir stehen jetzt auf der Straße vor dem Palast-Kino. Viele Menschen gehen an uns vorbei; sie gehen schnell, denn es ist heute sehr kalt – wir sind ja auch mitten im Winter. Da kommen zwei Mädchen. – Ach, die kennen wir doch, das sind Bärbel und ihre Freundin Inge.

„Was gibt's denn heute?"

„ ‚Ein Mann geht durch die Wand‘ mit Heinz Rühmann."

„O je, den Film habe ich schon zweimal gesehen, – einmal im Kino und einmal im Fernsehen."

„Was ist es – ein Krimi?"

„Nein, ein Lustspiel – es ist wirklich zum Lachen!"

„Huh! Es ist kalt, also hier bleibe ich nicht stehen! Wollen wir nun ins Kino gehen oder gehen wir weiter?"

„Na, also, gehen wir lieber weiter!"

Die Mädchen gehen weiter. Es ist kurz vor vier Uhr. Es beginnt zu schneien, und die Autos müssen sehr langsam und vorsichtig fahren, denn es ist sehr glatt geworden.

„Sieh mal, Bärbel! Drüben im Kaufhaus
ist Ausverkauf. Komm, schauen wir mal!"
„Ja, warum denn nicht!"
„Paß doch auf, rot!"
„Mein Gott! Das habe ich gar nicht gesehen – und drüben steht sogar ein Polizist!"

„Wie findest du die rote Bluse?"
„Welche...?"
„Da rechts – oben an der Wand!"
„Die ist ganz nett! Die grüne gefällt mir
aber besser!"
„Was kostet die schwarze Bluse? Ich
kann den Preis nicht sehen."
„10,25, glaube ich."
„Nicht mehr – das ist aber billig!"

„Schau mal hier, die Kleider! Gefällt
dir eins davon?"
„O ja, das blaue Kleid da!"
„Warum nicht das weiße, das ist doch
moderner?"
„Es ist hübsch, – aber die Farbe steht
mir nicht."

51

„O, die schönen Pelze! So was möchte ich bei dem Wetter haben!"

„O je! Der schwarze Pelzmantel kostet über zweitausend Mark!"

„Das ist mir viel zu teuer – wer kann denn so viel bezahlen. Da nehme ich lieber den braunen Stoffmantel. Der kostet nur 267 Mark."

„Weißt du, was du bekommst? – Den gelben Regenmantel zu 1,99!"

---

1 Wir haben heute *den dritten Februar 1969.*

2 *der Mensch:* Viele *Menschen* gehen *an uns vorbei.*

3 *der Winter:* Es ist sehr kalt, *denn* wir sind *mitten im Winter.*

4 Da kommen zwei Mädchen. Die *kennen* wir doch!

5 *die Wand:* „Ein Mann geht durch *die Wand.*"

6 *das Fernsehen; (der Fernsehapparat):* O je, den Film habe ich *einmal im Fernsehen* gesehen.

7 *das Lustspiel:* Es ist *ein Lustspiel* – es ist *wirklich zum Lachen!*

8 *Hier bleibe ich* nicht *stehen!*

9 *Wollen wir weitergehen?*

10 Es beginnt *zu schneien.*

11 *das Kaufhaus; der Ausverkauf:* Drüben *im Kaufhaus* ist *Ausverkauf.*

12 *Mein Gott!*

13 *Paß doch auf!*

14 *der Polizist:* Da steht *ein Polizist.*

15 *Wie findest* du *die rote Bluse oben an* der Wand? – *Welche…?*

16 Die grüne Bluse *gefällt mir* aber *besser!* (Sie *hat* mir gut *gefallen.*)

17 Was kostet die *schwarze* Bluse?

18 *der Preis:* Ich kann *den Preis* nicht sehen.

19 *Nicht mehr!* – das ist aber *billig!*

20 Gefällt dir eins *davon?* – Ja, das *blaue* Kleid.

21 Das *weiße* Kleid ist doch *moderner.*

22 Es ist *hübsch.*

23 *die Farbe: Die Farbe steht mir nicht.*

24 *der Pelz:* O, *die schönen Pelze!* – So *was* möchte ich *bei dem Wetter* haben.

25 *der Pelzmantel; (der Stoffmantel):* Der *braune Pelzmantel* kostet *über zweitausend* Mark.

26 *Das ist mir viel zu teuer!*

27 Wer kann denn so viel *bezahlen?*

28 Weißt du, *was* du bekommst?

29 *der Regenmantel:* Da nehme ich *lieber den gelben Regenmantel zu 1,99!*

wer?	der	–e		das	–e	die	–e		die	–en
wen?	**den**	**–en**								

Wer kommt jetzt?	*Der* junge Mann.
Wen triffst du auf der Straße?	*Den* jungen Mann.
Wer kommt jetzt?	*Das* hübsche Mädchen.
Wen siehst du vor dem Kino?	*Das* hübsche Mädchen.
(*Was* steht da?)	(*Das* schwarze Auto.)
Wer kommt jetzt?	*Die* alte Frau
Wen rufst du an?	*Die* alte Frau.
Wer kommt jetzt?	*Die* kleinen Kinder.
Wen holst du ab?	*Die* kleinen Kinder.

welcher?

Der	Pelz ist mir zu teuer.		Welch*er*	Pelz?
Den	Pelz möchte ich haben!		Welch*en*	Pelz?
Das	Kleid ist sehr modern.		Welch*es*	Kleid?
Die	blaue Bluse gefällt mir nicht.		Welch*e*	Bluse?
Die	großen Kinder sind fleißig.		Welch*e*	Kinder?

an – vorbei

'Tag, Peter! Wohin gehst du denn?
Kommst du heute *am Bahnhof vorbei?*

Ich gehe ins Büro, natürlich!
Nein, ich gehe durch die Friedrichstraße, das geht doch schneller!

Dann kommst du *an der Schule vorbei?*
Warten sie denn auf dich?

Ja, – und ich sehe oft Heinz und Inge.
Nein, aber ihr Bus fährt *an mir vorbei.*

wo? ☒

Wo stehen die Mädchen?
Wo hält das Auto?

Sie *stehen vor dem Haus.*
Es *hält auf der Straße.*

wohin? ⟶

Wohin fährt er das Auto?
Wohin läuft Heinz?

Er *fährt* es *vor das Haus.*
Er *läuft auf die Straße.*

ich finde   die rote Bluse sehr nett.
du findest das grüne Kleid hübsch.
er findet den braunen Pelz zu teuer.
wir finden die neuen Kleider sehr modern.
ihr findet es heute sehr kalt.
sie finden es heute zu windig.
Sie finden es hier zu dunkel.

Wann kommt er?

Er kommt	am ersten	Januar
	am zweiten	Februar
	am dritten	März
	am vierten	April
	am fünften	Mai
	am sechsten	Juni
	am achten	Juli

am neunzehnten	August
am zwanzigsten	September
am einundzwanzigsten	Oktober
. . . .	
am dreißigsten	November
am einunddreißigsten	Dezember

Wann hast du *Geburtstag*, Kurt?   Am einunddreißigsten März.
Der wievielte ist heute?   Der zehnte Mai. (10. 5.: der zehnte
fünfte.)

Den wievielten haben wir heute?   Den sechzehnten September 1969
(neunzehnhundertneunundsechzig).

Wo liegt das Palast-Kino?   Das weiß ich nicht. Wen können wir
wohl fragen?

Da steht *ein Polizist!*   Ja, fragen wir doch *den Polizisten.*

Schau, Mutti, das schöne Kleid da!   Welches Kleid?
Ach, das blaue da!   Ja, das ist hübsch! – Hast du auch den
Preis gesehen, Inge?!

– Ja! Aber Mutti, die Farbe steht mir sehr   Doch! – Der Preis gefällt mir aber gar
gut! Gefällt's dir nicht?   nicht! Komm, wir müssen weiter!

„Guten Morgen, – ein schöner Tag heute, nicht wahr? Es ist gar nicht kalt, und wir haben doch erst den einundzwanzigsten März. Heute beginnt der Frühling! Am Sonntag vormittag gehe ich immer nach dem Frühstück ein wenig spazieren. – Hier in diesem Haus wohnt mein Freund, Seitz. Da steht er ja – vor der Garage. Ich möchte mal mit ihm sprechen."

„Morgen, Karl!"   „Morgen!"
„Wie geht's denn?"
„Mir geht's gut – und dir?"
„Ausgezeichnet! – – Sag mal, hast du dir nicht einen neuen Wagen gekauft?"
„Ja, – fast jede Woche mußte ich den alten Wagen zur Werkstatt fahren, und – ja, dann haben wir uns ein neues Auto gekauft!"   „Gratuliere! – – Gehst du heute nachmittag mit zum Fußballplatz?"
„Nein, leider nicht. Wir haben erst gestern den Wagen bekommen. Heute nachmittag wollen wir ein wenig spazierenfahren."   „Ja, ja, das verstehe ich! Viel Vergnügen!"   „Danke gleichfalls! – Wiedersehen!"   „Wiedersehen!"

„Na, Liese, bist du mit dem Wagen zufrieden?"
„Oh, ja, man sitzt sehr gut. Aber, Karl, mußt du unbedingt so schnell fahren?"
„Ach, was, Mutti, 110 Stundenkilometer, das ist doch nicht schnell!"
„Doch, Heinz, das ist schnell! Heute brauchen wir doch nicht so schnell zu fahren, wir haben ja Zeit!"
„Vati, jetzt müssen wir bald tanken."
„Ja, das habe ich auch schon gesehen. Es kommt hier gleich eine große Tankstelle."
„Kann ich da auf die Toilette gehen, Vati?"   „Ja, natürlich!"

„Guten Tag, Herr Seitz!"
„Ach! Guten Tag, Herr Ross! Arbeiten Sie jetzt hier? – Sie waren doch früher in der Ludwigstraße, nicht wahr?"
„Ja, aber da konnte ich nicht bleiben. Ein junger Mann hat die Tankstelle gekauft; er ist den ganzen Tag selbst da, und seine Frau hilft ihm. Also mußte ich mir eine neue Stellung suchen, und da habe ich Glück gehabt. Man hatte hier eben eine neue Tankstelle gebaut, und jetzt arbeite ich also hier. – Soll ich volltanken?"
„Ja, bitte, Super!"

„Entschuldigen Sie, bitte! Gibt's hier eine Toilette?"   „Klar, dort rechts um die Ecke!"   „Vielen Dank!"
„Es tut mir leid, Herr Seitz – aber hier ist das Rauchen verboten!"
„Oh, Verzeihung, ich habe nicht daran gedacht, – ich mache die Zigarette gleich aus!"   „Soll ich auch Wasser und Öl nachsehen?"
„Ja, bitte – und auch die Luft! – Ist alles in Ordnung?"   „Ja!"

„Puh! Wie riecht es denn hier! Darf ich das Fenster ein wenig aufmachen?"
„Ja, aber nur einen Augenblick, sonst wird es zu kalt. – So, das genügt; mach das Fenster wieder zu, sonst wirst du dich wieder erkälten!"
„Wohin fährst du denn, Karl?"
„Nach Emdorf – wir müssen 12 km auf der Autobahn bleiben und dann noch ungefähr 5 km nach Westen fahren. Wir sind in einer Viertelstunde da."
„Was willst du denn in Emdorf, Vati?"
„Kaffee trinken! Da ist ein nettes, kleines Gasthaus. Jetzt wird uns der Kaffee schmecken!"   „Cola für mich, bitte!"
„Klar! – Was ist ein Tag ohne viel Cola!!"
„Ja – und ohne viele Tassen Kaffee!"

1 *Ein schöner Tag* heute, *nicht wahr?*

2 *der Frühling; (das Frühjahr):* Heute beginnt *der Frühling.*

3 Am Vormittag *gehe* ich *ein wenig spazieren. (Ich bin spazierengegangen.)*

4 In *diesem* Haus *wohnt* mein Freund.

5 *die Garage:* Er steht *vor der Garage.*

6 Wie geht's dir? – *Ausgezeichnet!*

7 Hast du dir nicht *einen neuen Wagen (ein neues Auto)* gekauft?

8 *die Woche; die Werkstatt: Fast jede Woche mußte* ich *zur Werkstatt* fahren.

9 Ja, das *verstehe* ich. (Das *habe* ich schon *verstanden).*

10 *Viel Vergnügen! – Danke gleichfalls!*

11 Bist du mit dem Wagen *zufrieden?*

12 Mußt du *unbedingt* so schnell fahren?

13 *die Tankstelle:* Es kommt gleich *eine große Tankstelle.*

14 *die Toilette:* Kann ich *auf die Toilette* gehen?

15 Sie *waren* doch *früher* in der Ludwigstraße?

16 *die Stellung:* Ich mußte mir *eine neue Stellung* suchen.

17 Ich *habe* (kein) *Glück* gehabt.

18 *Man baut* hier eben eine Tankstelle.

19 *Entschuldigen Sie, bitte!*

20 *die Ecke:* Die Toilette ist dort rechts *um die Ecke.*

21 *das Rauchen: Es tut mir leid,* aber hier ist *das Rauchen* verboten!

22 *Oh, Verzeihung,* ich habe nicht *daran* gedacht.

23 *Ist alles in Ordnung?*

24 *der Augenblick:* Du darfst das Fenster nur *einen Augenblick* aufmachen!

25 *Das genügt!*

26 Mach das Fenster zu, *sonst wirst du dich erkälten!*

27 *die Autobahn:* Wir bleiben *ungefähr* 12 km *auf der Autobahn.*

28 *die Viertelstunde:* Wir sind *in einer Viertelstunde* da.

29 Jetzt wird uns der Kaffee *schmecken!*

Welcher Wagen? – Dieser Wagen!

(der)	Welcher	Wagen ist dir zu teuer?	Dieser	Wagen.
(den)	Welchen	Wagen kaufst du?	Diesen	Wagen.
(das)	Welches	Kleid findest du schön?	Dieses	Kleid.
			Dies	Kleid.
(die)	Welche	Bluse gefällt dir?	Diese	Bluse.
(die)	Welche	Bücher liest du?	Diese	Bücher.
(dem)	In welchem	Haus wohnt er?	In diesem	Haus.
(der)	In welcher	Straße wohnt er?	In dieser	Straße.

wer?	ein	–er				meine	
			ein	–es	eine	–e	deine	–en
wen?	einen	–en				keine	

Wer hat die neue Tankstelle gebaut?	Ein junger Mann.
Was hat Herr Seitz gekauft?	Einen neuen Wagen.
Was hält vor der Garage?	Ein neues Auto.
Was liest das Mädchen?	Ein gutes Buch.
Was ist das?	Eine große Tankstelle.
Was mußte er suchen?	Eine neue Stellung.
Wer kommt noch?	Meine neuen Freunde.
Was bringst du mit?	Deine alten Bücher.

heute

Ich bin heute in Köln, aber
ich kann hier nicht bleiben –
ich habe keine Zeit,
ich muß gleich nach München fahren.

gestern

Ich war gestern in Köln, aber
ich konnte da nicht bleiben –
ich hatte keine Zeit,
ich mußte nach München fahren.

ich war

ich war   krank
du warst in Köln
er   war   zu Hause

wir waren bei unserer Großmutter
ihr wart   in der Schule
sie waren im Gasthaus

ich hatte

ich hat	te
du hat	test
er hat	te
wir hat	ten
ihr hat	tet
sie hat	ten

ich mußte

ich muß	te
du muß	test
er muß	te
wir muß	ten
ihr muß	tet
sie muß	ten

ich konnte

ich konn	te
du konn	test
er konn	te
wir konn	ten
ihr konn	tet
sie konn	ten

wohin? ⟶

Er geht *vor den Wagen.*
Er geht *vor das Haus.*
Er geht *vor die Garage.*

wo? ☒

Er steht *vor dem Wagen.*
Er steht *vor dem Haus.*
Er steht *vor der Garage.*

„Das Gasthaus „Zum goldnen Hund"
liegt hier mitten in einem kleinen Wald.
Jeden Tag fahren Hunderte von Autos
auf der neuen Schnellstraße am Haus vorbei. Viele machen hier eine kleine Kaffee-
pause. – Jeden Tag stehen viele Autos
auf dem großen Parkplatz. Einige von
den Gästen sind Ausländer. Da unter den
hohen Bäumen stehen zum Beispiel drei
Autos aus den skandinavischen Ländern,
zwei aus Schweden und eins aus Dänemark."

18

„Jetzt kommt auch die Familie Seitz. –
Ist überhaupt noch ein Platz frei? – Hinter dem alten Haus können sie bestimmt
nicht parken, dort sind alle Plätze schon
besetzt. Vielleicht geht's neben dem dänischen Auto."

„Die Herrschaften wünschen?"
„Zweimal Kaffee..."
„Tasse oder Kännchen?"
„Kännchen, bitte – und für die Kinder...
Was möchtet ihr?"
„Ein Cola, aber recht kalt, bitte!"
„Kann ich einen Apfelsaft haben?"
„Aber sicher! – Also: 2 Kännchen Kaffee,
einen Apfelsaft, eine Flasche Cola – noch
was?"
„Haben Sie Torte?"
„Ja!"
„Gut, geben Sie uns bitte vier Stück –
dauert es lange?"
„Nein, das kommt schnell!"

59

„Es ist ganz nett hier, nicht wahr?"
„Bestimmt! Bist du schon einmal hier gewesen?"
„Ja, ich war mal hier mit unseren amerikanischen Kollegen."
„Wann war das?"
„Ach, das ist lange her – es war im Herbst 1966, im Oktober, glaube ich."

„Was hast du denn, Karl? Du bist plötzlich ganz blaß!"
„Meine Brieftasche ist weg – mit mehr als 500 Mark!"
„Aber das gibt's doch gar nicht! Liegt sie nicht im Auto?"
„Ich will dort gleich mal nachsehen. Komm, Heinz!"

„Nein, im Wagen ist sie nicht – und am Büfett hat man sie auch nicht abgegeben, ich habe schon die Kellnerin gefragt – verflixt noch einmal! Was machen wir jetzt?"
„Vati – bei der neuen Tankstelle war die Brieftasche doch noch da. Hast du sie vielleicht dort vergessen?"
„Wie war das dort? – Wir sind ins Büro gegangen, und da habe ich bezahlt – und ich habe die Brieftasche auf den Schreibtisch gelegt! – Ja, so war's! Am besten rufe ich Herrn Ross gleich einmal an!"

„Er hat die Brieftasche gefunden!"
„Oh, Gott sei Dank!"
„Na, Vati – wer vergißt denn immer etwas!...O-o-o-h, Mutti–meine Tasche! –
Die steht noch auf der Toilette!"
„Hm! – Fräulein, bitte bezahlen!"
„9,45, bitte!"
„Hier sind zehn Mark – nein danke, behalten Sie den Rest!"
„Danke vielmals – auf Wiedersehen!"
„Auf Wiedersehen!"

---

1 *der Hund; der Wald:* Das Gasthaus „Zum goldnen *Hund*" liegt *in einem kleinen Wald.*

2 *die Schnellstraße: Hunderte* von Autos fahren *auf der neuen Schnellstraße.*

3 *der Ausländer: Einige* von den Gästen sind *Ausländer.*

4 *der Baum; das Land: Unter den hohen Bäumen* stehen *zum Beispiel (z. B.)* drei Autos *aus den skandinavischen Ländern.*

5 *Hinter dem alten Haus* können sie *parken.*

6 *Neben dem dänischen Wagen* ist ein Platz *frei/besetzt.*

7 *Die Herrschaften wünschen?*

8 *(der Apfel):* Kann ich einen *Apfelsaft* haben?

9 *die Torte; das Stück: Geben Sie mir bitte zwei Stück Torte!*

10 *der Kollege:* Ich war *mit unseren amerikanischen Kollegen* hier.

11 *der Herbst:* Das ist *lange her* – es war *im Herbst 1966.*

12 *Was hast du denn?* Du bist plötzlich ganz *blaß!*

13 *die Brieftasche:* Meine *Brieftasche* ist *weg!*

14 *das Büfett:* Man *gibt* die Brieftasche *am Büfett ab.* (Man *hat* sie dort *abgegeben.*)

15 *die Kellnerin: Die Kellnerin* hat sie *gefunden.*

16 *Verflixt noch einmal!*

17 *Bei der neuen Tankstelle* war sie doch noch da.

18 *der Schreibtisch:* Ich habe sie *auf den Schreibtisch gelegt.*

19 *Am besten rufe* ich Herrn Ross gleich einmal *an!* (Ich *habe* ihn *angerufen.*)

20 *Gott sei Dank!*

21 *der Rest: Behalten Sie den Rest!*

22 *Danke vielmals!*

ich gebe

ich gebe	dir fünf Mark	wir geben	dem Mann die Mappe
du *gibst*	dem Kind das Buch	ihr gebt	uns den roten Ball
er *gibt*	der alten Frau den Brief	sie geben	euch Zigaretten

Er *hat* dem jungen Mann das neue Auto *gegeben*.

Herr Seitz sagt:
Gib mir das Buch!   – und Heinz gibt ihm das Buch.
Gebt mir die Briefe!   – und die Kinder geben ihm die Briefe.
Geben Sie mir *bitte* das Geld!   – und die Kellnerin gibt ihm das Geld.

einem	–n	einem	–n	einer	–n	unseren	–n	Freunden
dem	–n	dem	–n	der	–n	den	–n	Freunden

Wo steht der Wagen?	Auf dem neuen Parkplatz.
Wem hast du geholfen?	Einem jungen Mann.
Wo steht der Wagen?	Neben dem alten Haus.
Wem hast du das Buch gegeben?	Einem hübschen Mädchen.
Wo steht der Wagen?	Hinter der grünen Garage.
Wem habt ihr die Brieftasche gegeben?	Einer jungen Kellnerin.
Wo steht der Wagen?	Unter den hohen Bäumen.
Wem habt ihr geholfen?	Unseren neuen Freunden.

Wohin legt Otto den Brief? ⟶

Er legt ihn *in die* Mappe.
Er legt ihn *auf den* Schreibtisch.
Er legt ihn *hinter die* Kanne.
Er legt ihn *unter das* Buch.
Er legt ihn *neben den* Teller.

Wo liegt der Brief? ☒

Er liegt *in der* Mappe.
Er liegt *auf dem* Schreibtisch.
Er liegt *hinter der* Kanne.
Er liegt *unter dem* Buch.
Er liegt *neben dem* Teller.

Hier sind unsere Bücher. Habt ihr auch so *viele*?

Ja, wir haben bestimmt *mehr* Bücher *als* ihr habt!

Das glaube ich nicht! Wir haben über 500 hier, und Vati hat auch *einige* im Arbeitszimmer.
Prahlhans!

Na – dann haben wir ja mehr als ihr! Wir haben ungefähr 800, und *mehrere* davon sind sogar sehr teuer!

19

Heute ist der sechzehnte April, Inges Geburtstag. Es ist erst halb sieben Uhr, und sie liegt natürlich noch im Bett. Plötzlich klopft es an die Tür.

„Ja, herein...!"

„Morgen, Inge – gratuliere zum Geburtstag!"

„Danke! – Was hast du denn da?"

„Nicht so neugierig, bitte! Hier ist ein Geschenk für dich – oder wenigstens ein Stück davon!"

„Gib her! (Sie öffnet das Päckchen.) Du hast mir ja nur Papier geschenkt!"

„Bestimmt nicht!"

„Doch!...Nein, hier ist ein Briefumschlag! – Was steht denn da? Heinz, sei nett und mach Licht, es ist noch zu dunkel. Danke! – Also: ‚Liebe Inge! Jetzt hast Du den ersten Brief gefunden; den zweiten findest Du hinter einem Bild im Wohnzimmer!'"

„Na, los du!"

„Nein, ich mag nicht!"

„Ein wenig Herumlaufen am Morgen ist sehr gut für deine Figur! Du mußt dein Geschenk selbst finden!"

„Und das nennt man Geburtstag! Wo ist mein Morgenrock? (Inge steht auf, zieht den Morgenrock an und geht ins Wohn-zimmer.) Hier nichts...auch hier nichts ...hier ist wieder ein Brief: ‚Liebe Inge! Jetzt hast Du den zweiten Brief gefunden; der dritte liegt auf dem alten Sessel im Keller!' – Im Keller! – Ja, warum nicht! Jetzt muß ich auch noch Schuhe anziehen. (Sie geht die Treppe hinunter in den Keller.) – ‚Liebe Inge! Jetzt hast du den dritten Brief gefunden; der vierte liegt auf dem Fußboden unter dem Teppich im Flur.' – Also die Treppe wieder hinauf! Sag mal, Heinz, hast du nicht am 21. Juni Geburtstag?"

„Warum...?"

„Das wirst du später erfahren!" (Inge läuft die Treppe hinauf und geht in den Flur. Jetzt kommt Herr Seitz aus dem Schlafzimmer.)

„Hört mal, Kinder – was macht ihr denn für einen Krach? Es ist doch erst halb sieben..."

„Heinz ist schuld, Vati – schau mal hier, den Brief!"

„‚Liebe Inge! Hier ist der vierte Brief; der fünfte hängt an der Wand über dem Spiegel im Badezimmer.' – Was soll denn das, Heinz?"

„Schönen guten Morgen, Vati – sie hat ja heute Geburtstag! Hast du das vergessen?"

„Ich gratuliere dir herzlich, Inge! Aber unser Geschenk gibt's erst um sieben Uhr!" (Er geht wieder ins Schlafzimmer zurück.)
(Inge geht ins Badezimmer und holt den Brief.) „Wohin hast du nun den nächsten Brief gelegt? – ,Der sechste Brief steht zwischen den Tellern im Küchenschrank!' – (Sie läuft in die Küche.) – Und jetzt: ,Der siebte Brief liegt neben der Lampe in meinem Zimmer!' – Heinz, in wessen Zimmer? – In deinem oder in meinem?"
„Wer hat denn den Brief geschrieben?"
„Du natürlich! Also in deinem Zimmer."
„Ja, hier liegt er: ,Jetzt hast Du den siebten Brief gefunden; Dein Geschenk findest Du in Deinem Bett!' – (Sie findet das Päckchen.) – Nein, Heinz, das ist aber nett von dir! Ein Lippenstift – und Nagellack! Vielen herzlichen Dank!"

1 Heinz *klopft an die Tür*.
2 *das Geschenk:* Hier ist *ein Geschenk* für dich – oder *wenigstens* ein Stück davon.
3 Du hast mir nur Papier *geschenkt*.
4 Hier *steht:* „Liebe Inge!"
5 *Sei* nett und *mach Licht!*
6 Ich *mag* nicht!
7 *das Herumlaufen; die Figur:* Ein wenig *Herumlaufen* am Morgen ist *gut für deine Figur.*
8 Und *das nennt man* Geburtstag!
9 *der Sessel; der Keller:* Der Brief *liegt auf dem alten Sessel im Keller.*
10 *die Treppe:* Inge *geht die Treppe hinunter (hinauf).*
11 *der Spiegel:* Der Brief *hängt* an der Wand *über dem Spiegel.*
12 *Ich gratuliere dir* herzlich zum Geburtstag.
13 Der Brief *steht zwischen den Tellern* im Küchenschrank.
14 In *wessen* Zimmer liegt der Brief?
15 Das ist *nett von dir!*

Magst du...? Nein, ich mag nicht...

ich	*mag*	nicht in den Keller gehen.
du	*magst*	deine Schularbeiten nicht machen.
er	*mag*	nicht kommen.
wir	mögen	es heute nicht.
ihr	mögt	keine Briefe schreiben.
sie	mögen	heute nicht Fußball spielen.
Sie	mögen	heute nicht ins Kino gehen, Herr Schulz?

sei! – seid! – seien Sie (bitte)!

Inge sagt: *Sei* nett und mach Licht!
Der Lehrer sagt: *Seid* ruhig, Kinder!
Der Polizist sagt: *Seien Sie bitte* ruhig!

Und Heinz *ist* nett und macht Licht.
Und die Kinder *sind* (natürlich!) ruhig.
Und der Mann sagt nichts mehr.

Er *hängt* den Spiegel *an die* Wand.
Er *legt* den Brief *auf euren* Sessel.
Er *setzt sich hinter die* Tür.
Er *läuft in den* Keller.

Er *legt* das Buch *neben Ihre* Lampe,
　　Fräulein Huber.
Er *hängt* den Brief *über den* Spiegel.
Er *legt* das Heft *unter das* Buch.
Er *fährt* den Wagen *vor unser* Haus.
Er *setzt sich zwischen den* Onkel und *die*
　　Tante. (Er *setzt sich zwischen sie.*)

Jetzt *hängt* der Spiegel *an der* Wand.
Jetzt *liegt* der Brief *auf eurem* Sessel.
Jetzt *sitzt* er *hinter der* Tür.
Jetzt *steht* er *im* Keller.

Jetzt *liegt* es *neben Ihrer* Lampe,
　　Fräulein Huber.
Jetzt *hängt* der Brief *über dem* Spiegel.
Jetzt *liegt* es *unter dem* Buch.
Jetzt *steht* der Wagen *vor unserem* Haus.
Jetzt *sitzt* er *zwischen dem* Onkel und *der*
　　Tante. (Er sitzt *zwischen ihnen.*)

Wessen Mantel ist das?
Wessen Bluse ist das?
Wessen Zimmer ist das?
In wessen Zimmer liegt der Brief – in
　　eurem?

Das ist mein Mantel.
Das ist Inges Bluse, glaube ich.
Das ist doch euer Zimmer!
In unserem? – Nein, das glaube ich
　　nicht!

Wann kommt er?

Wann muß er nach Hause fahren?
Wann werdet ihr nach Römö fahren?

Er kommt *in der Nacht* oder früh *am*
　　Morgen.
Spät *am* Abend, um 11 Uhr, glaube ich.
Im Juli, hoffe ich – dann haben wir ja
Ferien.

In der Schule

(Der Klassenlehrer hat heute Geburtstag.)
Inge: Hilde, wohin hast du das Päckchen
　　für Herrn Maier gelegt?

Hilde: Es liegt in unserem Klassenzim-
　　mer – auf dem Tisch von Heinz.

Im Gasthaus

Vati, wo steht der schwarze Koffer?

Nein, dort ist er nicht!
Nein – und den alten Koffer kann ich auch
nicht finden!

Das weiß ich nicht; in eurem Zimmer,
glaube ich.
Dann steht er wohl in unserem Zimmer!
Liese, hast du unsere Koffer gesehen?

Nein – und meine kleine Tasche ist auch nicht hier!

Im Bus!

Eine Dame: Verzeihung, ist der Platz neben Ihnen besetzt?

Ich habe eben Onkel Dieter und Tante Inge angerufen – die Koffer stehen noch bei ihnen in Köln – und deine kleine Tasche steht daneben!

Ein Herr: Nein, der ist frei! – *Bitte, nehmen Sie Platz!*

20

Heinz ist eben von der Schule gekommen, aber er zieht seine Jacke nicht aus.
„Ich muß gleich wieder fort, Mutti!"
„Wohin willst du denn jetzt noch?"
„Zu Fritz!"
„Hast du deine Schularbeiten für morgen schon gemacht?"
„Aber ja!"
„Bist du da auch ganz sicher?"
„Bestimmt! – Wir haben übrigens heute gar nichts auf, unser Klassenlehrer ist krank."
„Ach so! – Wohnt Fritz noch bei seinem Onkel?"
„Nein, sein Vater hat ein Haus gekauft, und heute ziehen sie ein."
„Aber dann kannst du doch nicht hingehen! Heute können sie doch sicher keinen Besuch brauchen."

„Besuch! Ich will Fritz doch nicht besuchen, ich soll ihm helfen. Er hat mich heute in der Schule gefragt, und ich habe es ihm versprochen."
„Na gut! Wir essen um halb sieben; bis dahin mußt du aber wieder hier sein."
„Klar! – Wiedersehen!"
„Auf Wiedersehen! – Übrigens, wo ist denn das neue Haus?"
„In einer kleinen Straße hinter der neuen Kirche; Amalienstraße heißt sie."

Heinz nimmt sein Fahrrad und fährt los.
Es ist wenig Verkehr, und er kommt schnell vorwärts.
Vor dem Haus steht ein großer Möbelwagen. Mehrere Männer tragen Möbel und Kisten hinein. Heinz stellt sein Fahrrad an die Mauer und geht ins Haus.

„Na endlich! Warum denn so spät?"
„Es ist doch ziemlich weit hierher. – Wie geht's denn?"
„Der Möbelwagen ist erst vor einer halben Stunde gekommen; aber jetzt geht's schnell! – Komm gleich mit, du willst doch sicher mein neues Zimmer sehen! Es ist im ersten Stock."
„Ja, sicher!"
Die Jungen gehen die Treppe hinauf. Die Türen sind alle offen. Fritz geht in das erste Zimmer auf der rechten Seite.
„Hier ist es! – Na, wie gefällt es dir?"
„Großartig! – Da kannst du aber zufrieden sein!"
„Das bin ich auch!"

„Wie willst du denn deine Möbel stellen?"
„Ich habe mir's so gedacht: Den Schreibtisch stelle ich ans Fenster, das Bett an die Wand rechts, den Schrank neben die Tür und den alten Sessel in die Ecke links. – Fehlt noch was?"
„Hast du nicht noch ein Bücherregal?"
„Natürlich! Das können wir zwischen das Fenster und das Bett stellen – oder geht das nicht?"
„Doch, das wird prima!"
„Hilfst du mir die Sachen holen?"
„Aber deshalb bin ich doch hier. Los, holen wir sie!"

---

1 Wohnt Fritz noch *bei seinem Onkel?*

2 Er *verspricht* es ihm. (Er *hat* es ihm *versprochen.*)

3 *das Fahrrad; die Mauer:* Er *stellt sein Fahrrad an die Mauer.*

4 Er wohnt *im ersten Stock.*

5 Der Möbelwagen ist *erst vor einer halben Stunde* gekommen.

6 Wie gefällt es dir? – *Großartig!*

7 *das Möbel: Wie* willst du denn *deine Möbel* stellen?

8 Wir *stellen das Bücherregal zwischen das* Fenster und *das* Bett.

9 Den Schreibtisch stellen wir *ans* Fenster.

10 Los, *holen wir die Sachen!*

---

wohin? ⟶

Wohin *stellt* Otto seinen Sessel?
Wohin *stellt* Fritz seinen Schreibtisch?
Wohin *stellt* Inge ihr Bett?
Wohin *stellt* Herr Seitz den Fernsehapparat?

An den Tisch.
Ans Fenster.
An die Wand.

Zwischen die Fenster.

wo?

Wo *steht* der Sessel?   *Am* Tisch.
Wo *steht* der Schreibtisch?   *Am* Fenster.
Wo *steht* das Bett?   *An der* Wand.
Wo *steht* der Fernsehapparat?   *Zwischen den* Fenster*n*.

bei

Wo wohnt Christel?   Sie wohnt *bei ihrem* Onkel.
Wo ist Günther?   Er ist *bei seiner* Tante.
Wo ist Karin?   Sie ist *beim* Kaufmann.
Wo ist Lotte?   Sie ist *bei ihren* Freundin*nen*.
Wo ist Jürgen?   Er ist *bei seinen* Freunde*n*.

durch

Ist Herr Seitz *durch den* Wald gefahren?   Nein, das glaube ich nicht. Er bleibt immer auf der Autobahn.

Ist Heinz *durch die* Garage gelaufen?   Nein, er ist *durch den* Keller gekommen.
Ist Inge *durch das* Wohnzimmer gegangen?   Nein, sie ist noch nicht nach Hause gekommen.

Sind Sie *durch die* Stadt gegangen?   Nein, ich bin zu Hause geblieben.

vor

Sind Sie eben angekommen?   Nein, schon *vor zehn Minuten*.
Wann ist Herr Seitz nach München geflogen?

Wann haben Sie das Auto gekauft?   *Vor einer* halben Stunde.
                                         Vor sechs Tagen.

Warum gehst du schon jetzt, Heinz?   Ich muß heute die Garage aufräumen.
Mußt du es unbedingt heute tun?   Ja, ich habe es *meinem Vater* versprochen.
Herr Seitz, müssen Sie unbedingt die Kinder mitnehmen?

                                         Ja, ich habe es *ihnen* versprochen.

68

21

Herr Seitz ist eben mit dem Flugzeug von München angekommen. Heinz ist mit dem Bus zum Flugplatz gefahren und hat ihn dort abgeholt. Sie haben ein Taxi genommen und sind jetzt auf dem Weg nach Hause.

„Schau, Vati! Da steht ein blauer Volkswagen vor dem Haus."
„Ja – den Wagen kenne ich nicht; wem gehört er wohl?"
„Das weiß ich nicht; den habe ich hier noch nie gesehen."

„So, mein Herr, Olgastraße 12!"
„Vielen Dank – und das macht?"
„8,90!"
„Gut, – behalten Sie den Rest!"
„Danke sehr! – Soll ich Ihnen helfen?"
„Nein, danke! Mein Sohn hat den Koffer schon genommen. Auf Wiedersehen!"
„Wiedersehen!"

Herr Seitz und Heinz gehen zur Haustür und klingeln. Frau Seitz öffnet die Tür und gibt ihrem Mann einen Kuß.
„Mutti, wem gehört der blaue Volkswagen da?"
„Er gehört einer jungen Dame!"

„Haben wir denn Besuch?"
„Ja, eine Freundin von dir, Karl!"
„Freundin von mir? – Was soll denn das heißen?"
„Fräulein Müller ist hier mit einem Telegramm. Sie sitzt im Wohnzimmer."
„Na, gut..."
„Möchtest du eine Tasse Kaffee, Karl, oder bist du hungrig?"
„Kaffee, bitte – und Fräulein Müller wird bestimmt auch nicht ‚nein' sagen! Die Damen im Büro können immer Kaffee trinken!"
Herr Seitz geht ins Wohnzimmer. Er begrüßt die Sekretärin und liest schnell das Telegramm. Ein Geschäftsfreund von ihm wird heute abend um acht mit dem Zug ankommen und muß ihn unbedingt sprechen. Frau Seitz bringt den Kaffee herein; sie setzt sich zu ihnen und sie unterhalten sich.
„Sagen Sie mir bitte, Fräulein Müller, gehört Ihnen der blaue Volkswagen vor dem Haus?"
„Ja, das ist mein Wagen. Ich habe ihn erst gestern gekauft!"
„Gratuliere! – dann brauchen Sie nicht mehr auf die Straßenbahn zu warten!"
„Nein, Gott sei Dank!"

„Sie haben Mut, bei diesem starken Verkehr zu fahren. Wie gefällt Ihnen das denn?"

„Ach, das geht schon...!"

„Na, ich fahre bestimmt lieber mit der Straßenbahn!"

„Es geht schon, sagen Sie! – Ich habe aber in der Zeitung etwas anderes gelesen!"

„Wieso denn? Bin ich in die Zeitung gekommen?"

(Herr Seitz gibt ihr eine Münchner Zeitung). „Lesen Sie bitte selbst!"

Fräulein Müller nimmt die Zeitung. Zwei Minuten später legt sie sie auf den Tisch.

„Das hat bestimmt ein Mann geschrieben!!"

...

Es ist acht Uhr am Morgen. Viele Autos fahren auf der Straße, denn die Leute müssen ins Geschäft oder ins Büro. Niemand hat Zeit. An einer Straßenkreuzung steht ein Auto und fährt nicht weiter.

„Natürlich sitzt eine Dame am Steuer!" denkt der Fahrer im Auto hinter der Dame ärgerlich und hupt kräftig. Aber er hat keinen Erfolg. Das Auto fährt nicht weiter, und hinter ihm bildet sich schon eine Schlange. „Die Dame schläft ja noch", sagt der Autofahrer zu seiner Frau, „warum bleibt sie nicht im Bett liegen? Man kann doch keine Frau ans Steuer lassen!" und er hupt noch ein paarmal.

Die Dame am Steuer steigt aus ihrem Wagen aus, geht zu dem anderen Wagen und stellt sich neben den Fahrer. „Bitte mein Herr", sagt sie freundlich, „mein Wagen will nicht anspringen. Setzen Sie sich doch ans Steuer und versuchen Sie es einmal! Ich will gern solange für Sie hupen."

---

1 *das Flugzeug:* Er ist eben *mit dem Flugzeug* von München angekommen.

2 *Wem gehört* der blaue Volkswagen? – Er *gehört mir.*

3 Ich habe den Wagen *noch nie* gesehen.

4 Eine Freundin *von ihm* ist hier.

5 *das Telegramm:* Sie ist hier *mit einem Telegramm.*

6 Der Geschäftsfreund *muß ihn sprechen.*

7 Frau Seitz *setzt sich zu ihnen.*

8 Die Dame *braucht nicht* auf die Straßenbahn *zu warten.*

9 Ich habe *in der Zeitung etwas anderes gelesen.*

10 (München): Herr Seitz gibt ihr eine *Münchner* Zeitung.

11 Warum *bleibt* sie nicht im Bett *liegen?*

12 Sie *stellt sich neben den Fahrer.*

13 *das Steuer: Die Dame am Steuer* steigt aus ihrem Wagen aus.

Wem gehört der Wagen?

Gehört der Wagen dir, Ernst?

Nein, mir gehört er leider nicht – er gehört meinem Vater!

Gehört Ihnen der blaue Mercedes?

Ja, er gehört uns. Wir haben ihn vor einer Woche gekauft.

Gehören diese Zeitungen dir?

Nein, sie gehören nicht mir, sondern meinem Freund.

Er geht *zu seinem Freund*

Wohin gehen die Kinder?

Heinz geht erst *zum Kaufmann,* dann *zu seinem Freund,* glaube ich.

Zu Fritz?
Und Inge?
Gehst du auch?

Ja, er geht fast jeden Tag *zu ihm.*
Sie geht natürlich *zu ihrer Freundin* Bärbel.
Nein, ich bleibe *bei dir zu Hause!*

noch nie

Kennst du Ursula?
Bist du in München gewesen?
Wem gehört der Wagen?

Nein, die habe ich *noch nie* getroffen.
Nein, dort bin ich *noch nie* gewesen.
Das weiß ich nicht; ich habe ihn *noch nie* gesehen.

Auf der Straße

Wie heißt der Junge im Auto dort?
Das weiß ich nicht! – Aber das ist doch das Auto *von Herrn Seitz.* Es muß Heinz sein!
Heinz?
Ja, Heinz Seitz! Er ist doch ein Freund *von euch,* nicht wahr?

Von uns? – Nein, ich kenne ihn gar nicht!
Wirklich! – Aber seine Schwester Inge kennst du wenigstens.
Klar! Sie ist die Freundin *von meiner Schwester.*

Am Telefon

Guten Tag! Hier spricht Günter Braun.
Guten Tag, Herr Braun, Fräulein Müller hier.
Ich *möchte Herrn Seitz sprechen!*
Wie, bitte? – *Wen* möchten Sie sprechen?
Herrn Seitz, bitte!
Herr Seitz ist heute leider nicht hier,

Herr Braun; er ist *zur Zeit* in München.
Wann kommt er zurück?
Morgen nacht! – Rufen Sie doch bitte übermorgen wieder an, Herr Braun!
Ja, das werde ich tun. Vielen Dank!
Auf Wiederhören!
Auf Wiederhören, Herr Braun!

22

Heinz und Fritz schieben einen großen Mercedes vor die Garage von Herrn Seitz.

„So, das ist jetzt aber wirklich der letzte! Der ist zum Glück nicht so schmutzig wie es der grüne Volkswagen war. Gib mir mal den Schlauch her! Ich spritze ihn ab."

„Gut! – Kann ich jetzt das Wasser aufdrehen?"

„Ja, los!"

Fritz nimmt den Schlauch und spritzt den Wagen von allen Seiten gründlich ab. Heinz hat das Leder genommen und poliert damit nach.

„Hier, Fritz, spritz noch ein bißchen Wasser auf die Räder! Sie sind noch nicht sauber."

„So, jetzt ist es genug! Machen wir noch den Eimer voll Wasser, dann können wir den Hahn zudrehen."

Die Jungen polieren nun noch die Scheiben von innen und außen, holen die Teppiche heraus und machen die Polster und den Wagenboden mit dem Staubsauger sauber. Heinz schaut den Wagen von allen Seiten an.

„Na, ganz gut, nicht?"

„Die Scheinwerfer sind noch nicht ganz sauber – und auch die Rücklichter müssen wir noch einmal polieren."

„Und den Aschenbecher haben wir wie gewöhnlich vergessen. Vorsicht! Die Teppiche sind ja schon wieder im Wagen!"

„So, jetzt ist es genug! Vier Wagen haben wir jetzt gewaschen, – das ist doch eine ganze Menge Arbeit!"

„Aber es bringt uns auch etwas ein. Zweiundzwanzig Mark in drei Stunden! – Da kommt noch ein Wagen!"

„Hoffentlich müssen wir den nicht auch noch waschen!"

„Ach du meine Güte! Das ist ja mein Vater! Warum kommt er heute schon so früh nach Hause? Er wollte doch erst am Nachmittag kommen."

Es ist tatsächlich der Wagen von Herrn Seitz. Er bremst, stellt den Wagen hinter den Mercedes und steigt aus. Die Jungen schauen sich verlegen an.

„Ja, was ist denn hier los! Was macht ihr denn da? Wem gehört denn dieser Wagen? Ich kann ja gar nicht in meine Garage."

„Wir haben doch heute keine Schule gehabt, und da haben wir für ein paar Nachbarn die Wagen gewaschen."

72

„Ich verstehe immer noch nichts! Wie kommt ihr denn zu diesen Wagen?"

„Das wollen wir dir ja eben erklären. Komm doch bitte einmal mit an die Straßenecke!"

Herr Seitz geht mit den Jungen an die Straßenecke. Dort ist ein Zettel am Zaun festgemacht.

> „Wir waschen Ihren Wagen schnell und gründlich. Bringen Sie ihn am Sonnabend zwischen 8 und 10 Uhr! Sie können ihn dann in einer Stunde wieder abholen.
> Waschen mit Innenreinigung DM 5,50.
> Heinz Seitz, Olgastraße 5."

„War das nicht eine gute Idee? Vier Wagen haben wir gewaschen, und dabei zweiundzwanzig Mark verdient."

„Eine gute Idee! Was sollen die Nachbarn von mir denken? Und von deinen Eltern, Fritz! Das ist mir sehr unangenehm."

„Aber, Herr Seitz, wir wollten doch nur ein bißchen Geld verdienen! – Und wir haben die Wagen wirklich sauber gewaschen!"

„Ja, mit meinem Wasser und mit meinem Strom! Und wie schaut jetzt mein neues Leder aus?!"

„Müssen wir das nun alles bezahlen? – Dann bleibt uns ja gar nicht mehr viel übrig."

„Bitte, sind Sie uns doch nicht böse, Herr Seitz! Wir tun es nicht wieder. Es ist doch recht viel Arbeit gewesen. – Aber Ihren Wagen waschen wir jetzt gleich noch, und ganz umsonst!"

Herr Seitz kann den Jungen nicht mehr böse sein. Er hilft den Mercedes wegschieben und stellt seinen Wagen vor die Garage.

„Na, Fritz, sind vier Autos nicht genug?"

„Was sollte ich denn sonst sagen? Machen wir schnell, sonst kommt auch noch mein Vater mit seinem Wagen vorbei!"

---

1 Das ist *der letzte* (Wagen).

2 Der ist *nicht so schmutzig wie es der grüne Wagen* war.

3 *der Schlauch:* Gib mir mal *den Schlauch* her!

4 Er *spritzt* noch *ein bißchen Wasser auf die Räder.*

5 *der Teppich:* Sie holen *den Teppich* heraus.

6 Heinz *schaut* den Wagen *von allen Seiten* an.

7 Das ist doch *eine ganze Menge* Arbeit!

8 Wir haben *in drei Stunden* zweiundzwanzig Mark verdient.

9 Er *wollte* doch erst am Nachmittag *kommen.*

10 Es ist *tatsächlich* der Wagen von Herrn Seitz.

11 Ich *kann* ja gar *nicht in meine Garage!*

12 *der Nachbar:* Wir haben *für ein paar Nachbarn* die Wagen gewaschen.

13 Was sollen die Nachbarn *von mir* denken?

14 *das Leder:* Wie schaut *mein neues Leder* aus?

15 Herr Seitz *kann ihnen* nicht mehr *böse sein.*

ich wollte			ich sollte		

ich	woll	te	ich	soll	te
du	woll	test	du	soll	test
er	woll	te	er	soll	te
wir	woll	ten	wir	soll	ten
ihr	woll	tet	ihr	soll	tet
sie	woll	ten	sie	soll	ten
Sie	woll	ten	Sie	soll	ten

Habt ihr den Wagen schon *abgespritzt?*

Nein, aber wir *spritzen* ihn gleich *ab.*

Hast du das Wasser schon *aufgedreht?*

Nein, aber ich *drehe* es gleich *auf.*

Haben Sie den Hahn schon *zugedreht,* Herr Seitz?

Nein, aber ich *drehe* ihn gleich *zu.*

Habt ihr den Teppich schon *herausgeholt?*

Nein, aber wir *holen* ihn gleich heraus.

Hast du den Wagen schon *angeschaut?*

Nein, aber ich *schaue* ihn gleich *an.*

Hat es euch schon etwas *eingebracht?*

Nein, aber es *bringt* uns bestimmt etwas *ein.*

Hat er schon *nachpoliert?*

Nein, aber er *poliert* gleich *nach.*

Wieder zurück

Guten Tag, Karl! – So früh hier! Du *wolltest* doch erst heute nachmittag nach Hause kommen!

Ja, ich *sollte* ja Herrn Schmied in Lübeck treffen; der *konnte* aber heute dort nicht bleiben. Seine Sekretärin *hatte* ihn angerufen; er *hatte* Besuch aus Amerika bekommen und *mußte* unbedingt nach Hause fahren. Dann *konnte* ich auch nach Hause fahren.

74

23

Das Wetter ist heute sehr schön. Inge und Bärbel sind allein zu Hause, denn Frau Seitz ist zu ihrer Mutter gegangen. Die alte Dame hat sich erkältet und muß einige Tage im Bett bleiben. Die Mädchen haben sich zwei Liegestühle aus der Garage geholt und es sich im Garten bequem gemacht. Frau Seitz hat ihnen Saft und Kekse hingestellt, und Bärbel hat Eis mitgebracht. Die Mädchen haben ein paar Zeitschriften, ihr Kofferradio und einen Plattenspieler mit in den Garten genommen. Seit anderthalb Stunden unterhalten sie nun schon die ganze Nachbarschaft. Bärbel hat ihre neuen Schallplatten gespielt, und die Mädchen haben sich köstlich amüsiert.

Jetzt läßt Inge ihre Illustrierte fallen.

– „Du, wir haben vorgestern einen tollen Gast gehabt; ein Freund von Vati war da, Scholz heißt er und kommt aus einer kleinen Stadt. Der hat uns Geschichten erzählt – das war zum Totlachen!"
– „Was hat er denn erzählt? Los, erzähl doch mal!"
– „Stell dir vor! Einmal kommt er spät in der Nacht von einer Reise zurück. Er hat nur eine Tasche bei sich und geht vom Bahnhof zu Fuß nach Hause. Kein Mensch ist auf der Straße, in keinem Haus brennt mehr Licht. Plötzlich hört er Schritte hinter sich. Er geht schnell weiter, die Schritte bleiben hinter ihm; er geht langsam, der Mann hinter ihm auch. Was will der von ihm? Und jetzt bekommt Herr Scholz Angst. Er muß ja noch an dem alten Friedhof vorbei, aber gerade das bringt ihn auf eine Idee. ‚Die kleine Tür an der Seite ist vielleicht offen', denkt er. Er hat Glück, die Tür geht wirklich auf, und Herr Scholz verschwindet im Friedhof. Dort läuft er einen schmalen Weg entlang und bleibt hinter einem Grabstein stehen. – Aber die Schritte kommen nach! Was tun? – Gleich steht der Fremde vor ihm, und der hat bestimmt eine Pistole – also weiterlaufen! – Und jetzt kommt's ...!"
– „Los, was denn?"
– „Der unheimliche Mann erreicht Herrn Scholz. Er packt ihn am Mantel und ruft: „Warum um alles in der Welt rennen Sie denn so? Ich komme ja gar nicht mehr nach. Ich will doch bei Herrn Faber übernachten – und Sie wohnen direkt neben ihm – das hat man mir wenigstens am Bahnhof gesagt. So bin ich hinter Ihnen hergelaufen, denn allein kann ich mitten in der Nacht den Weg doch nicht finden!"

1 Sie muß einige Tage *im Bett* bleiben.
2 Sie *haben* zwei Liegestühle *aus der Garage geholt.*
3 Die Mädchen *haben es sich bequem gemacht.*
4 Sie *nehmen* den Plattenspieler *mit* in den Garten.
5 Sie *sind seit einer halben Stunde* im Garten.
6 *die Geschichte:* Er *hat mir eine tolle Geschichte erzählt.*

7 Er *kommt aus einer Kleinstadt.*
8 Er hat seine kleine Tasche *bei sich.*
9 Was *will* er *von* mir?
10 Die kleine Tür *an der Seite* ist vielleicht offen.
11 Er läuft *einen schmalen Weg entlang.*
12 Er *bleibt* hinter einem Grabstein *stehen.*
13 *Das hat man mir* am Bahnhof *gesagt.*

---

seit wann?

Seit wann *bist* du hier?
Seit wann *sitzen* Sie hier im Garten?

Seit wann *ist* Oma krank?
Seit wann *wohnt* ihr in Deutschland?
Seit wann *arbeitet* dein Vater bei Herrn Schulz?

Wer spielt heute Platten?
Welche Tür ist offen?
Wer ist Herr Scholz?
Wer kommt denn jetzt?

Seit fünf Minuten.
Seit einer halben Stunde; – ich bin schon um halb drei gekommen.
Sie *ist* seit zwei Wochen krank.
Wir *wohnen* erst seit fünf Monaten hier.
Er *arbeitet* seit mehr als fünf Jahren bei ihm.

Die Mädchen *im Garten nebenan.*
Die Tür *an der Seite.*
Der Herr *im Auto.*
Der Fremde *mit dem Brief.*

„Freundinnen!"

Wem hat Inge diese Geschichte erzählt? ·

Inge, hast du *deinem Bruder* die Geschichte von *Ernas Freund* erzählt?

Und Heinz, du hast sie natürlich sofort weitererzählt?

Da siehst du, Inge! Dir darf man also nichts erzählen!

Ihrem Bruder vielleicht! – Aber da kommen die beiden ja! Frag sie doch selbst!

Ja, ich habe sie *ihm* erzählt.

Klar! Fritz weiß schon alles!

76

Header

Herr Seitz ist eben nach Hause gekommen. Er hat seinen Mantel ausgezogen und geht zu seiner Frau in die Küche. Frau Seitz bereitet gerade das Abendessen vor, aber sie macht gern eine kleine Pause und erzählt ihrem Mann von einem Besuch bei ihrer Mutter. Sie wird bald wieder gesund, hat der Arzt gesagt.

„...und die Kinder, was haben sie denn heute gemacht?"

„Inge ist erst mit mir zu Oma gegangen; sie hat uns wirklich gut geholfen: sie hat gespült, und sie hat auch einige Besorgungen für Oma gemacht. Dann ist sie mit dem Rad zu Bärbel gefahren; sie muß gleich hier sein."

„Und Heinz?"

„Oh, der fleißige Heinz! Seit zwei Stunden geht er wie ein Löwe in seinem Zimmer auf und ab! Ich wage gar nicht, ihn zu stören! – Er brüllt!!"

„Was macht er denn?"

„Er schreibt!"

„Schreibt was...?"

„Er schreibt eine Geschichte!"

„Ach, du lieber...!"

„Ja, in der Schulzeitung ist ein Preis für die beste Kriminalgeschichte ausgeschrieben – ein Transistorradio, und das ist natürlich etwas für Heinz."

In diesem Augenblick fliegt die Tür auf, und Heinz stürmt in die Küche.

„Ich hab's, Mutti! Ich bin fertig! Hör mal her! – Ach, Vati, bist du auch da!"

„Ja, ich bin eben gekommen – aber ich möchte auch gern deine erste Geschichte lesen – wenn ich darf!"

„Klar!"

„Es hat sechs geschlagen!"

Kurz vor 4 Uhr am Nachmittag hält ein großes, elegantes Auto vor dem Juweliergeschäft. Zwei vornehme Herren, – der eine in Uniform, der andere in Zivil, steigen aus. Die beiden Herren gehen in das Geschäft und lassen sich Schmuck zeigen. Schließlich wählt der Herr in Zivil eine Kette mit vier großen und vielen kleinen Diamanten. Den Preis von DM 5.000 findet er nicht zu hoch, aber er möchte doch seine Frau fragen, denn für die ist die Kette bestimmt und ihr soll sie gefallen.

„Kann ich mit dem Schmuck schnell zu

meiner Frau fahren?" fragt er den Juwelier. „Der Herr General wartet bestimmt hier auf mich, es wird ja nicht lange dauern." –

Der General nickt freundlich, und auch dem Juwelier ist es recht, denn er freut sich über das Geschäft. Er packt die Kette ein, und der Käufer fährt mit dem großen Auto davon.

Der General und der Juwelier unterhalten sich großartig. Der Juwelier stellt eine Flasche Kognak auf den Tisch, sie trinken und die Zeit vergeht schnell. Plötzlich schlägt die Uhr sechsmal. Jetzt steht der General auf und will gehen.

Natürlich stellt sich ihm der Juwelier in den Weg, aber der General schenkt sich noch einen Kognak ein und sagt dann ganz ruhig: „Sie brauchen nicht länger zu warten. Mein Freund kommt nicht mehr, und Ihre Kette werden Sie nicht mehr sehen!"

Der Juwelier stürzt zur Tür. Glücklicherweise sieht er gleich einen Polizisten.

„Schnell hierher!" ruft der Juwelier. „Verhaften Sie diesen Mann! Er ist ein Betrüger."

Der Polizist legt dem Mann Handschellen an, läßt sich die ganze Geschichte erzählen und steigt dann mit dem „General" in ein vorbeikommendes Taxi. „Da habe ich aber Glück gehabt!" denkt der Juwelier und schließt beruhigt sein Geschäft.

Nach ungefähr einer Stunde ruft er im Polizeipräsidium an, – er hatte dem Polizisten seine Privatadresse nicht gegeben und wollte jetzt nach Hause fahren. Im Präsidium weiß man aber nichts von dem Diebstahl – und von dem „General" hat man auch nichts gesehen!

Fünf Minuten später ist Kommissar Berger selbst bei dem Juwelier. Er läßt sich alles erzählen. „Lieber Freund", sagt er dann, „da gibt es nur eine Erklärung: nicht nur der General war falsch, – sondern auch der Polizist!" –

---

1 Seit zwei Stunden *geht er wie ein Löwe* in seinem Zimmer *auf und ab*.
2 Ich *wage* gar nicht, *ihn zu stören*.
3 Ein Radio ist natürlich *etwas für Heinz*.
4 *Der Herr in Zivil wählt* eine Kette mit kleinen Diamanten.
5 *Es ist dem Juwelier recht*.
6 Er *freut sich über das Geschäft*.
7 Ich *schenke* mir noch einen Kognak *ein*.
8 Ich *lasse mir* die ganze Geschichte *erzählen*.
9 Er ruft *nach einer Stunde* an.
10 Er *weiß nichts von dem Diebstahl*.

---

mit

Kommt er zu Fuß?   Nein, er kommt *mit* der Straßenbahn.
Kennst du ihn?   Ja, ich habe schon ein paarmal *mit* ihm gesprochen.
Kommt er allein?   Nein, er kommt *mit* meinem Bruder.
Welche Kette wählt er?   Er wählt die *mit* den zwölf kleinen Diamanten.

Ich *habe* meinen Mantel schon *ausgezogen;* jetzt *zieht* auch Erich seinen Mantel *aus.*
Ich *habe* meinen Vater schon *angerufen;* jetzt *ruft* auch Erich seinen Vater *an.*
Ich *habe* meinen Hut schon *aufgesetzt;* erst jetzt *setzt* Erika ihren Hut *auf.*
Ich *habe* mein Geschenk schon *eingepackt;* erst jetzt *packt* Erika ihr Geschenk *ein.*

Ich *bin* schon aus dem Zug *ausgestiegen;* jetzt *steigt* Erich auch *aus.*
Ich *bin* schon um sechs Uhr *aufgestanden;* jetzt *steht* Erich auch *auf.*
Ich *habe* mir schon eine Tasse Kaffee *eingeschenkt;* jetzt *schenkt* sich auch Erika eine Tasse Kaffee *ein.*

doch

Herr Seitz will das Buch nicht kaufen. Aber dann kauft er es *doch.*
Erika wollte nicht mitgehen, aber dann ging sie *doch* mit.
Er hat das Geschenk so schön eingepackt, und jetzt hat er es *doch* vergessen.
Er findet den Preis nicht hoch, aber er möchte *doch* seine Frau fragen.

Der Vater hat viel Arbeit, aber er möchte *doch* die Geschichte hören.
Der General will gehen, aber er trinkt *doch* noch einen Kognak.
Der Juwelier ist beruhigt, aber er ruft *doch* im Polizeipräsidium an.

Wer kommt nach Hause?
Wen hat Frau Seitz heute besucht?
Wem hat Inge geholfen?
Wessen Bleistift ist das?
Was trinkt der General?
Was für ein Auto hat Herr Maier?
Worüber freut sich der Juwelier?
Woran denkt er?
Wovon sprechen die Kinder?
Womit schreibt der Lehrer?
Wo hält der Wagen?
Wohin gehen die Herren?
Woher kommst du?
Wann kommt Herr Berger?
Welche Bluse möchtest du haben?

Herr Seitz.
Ihre Mutter.
Ihrer Großmutter.
Das ist Inges Bleistift.
Er trinkt Kognak.
Er hat einen Volkswagen.
Über das gute Geschäft.
Er denkt an die schöne Kette.
Sie sprechen von den Ferien.
Mit seinem Bleistift.
Vor dem Juweliergeschäft.
In das Geschäft.
Aus Holland.
Um fünf Minuten nach sieben.
Die rote zu 11,35.